O yoga que
conduz à plenitude

CB038037

O yoga que conduz à plenitude

Os Yoga Sūtras de Patañjali

पातञ्जलयोगसूत्राणि

pātañjalayogasūtrāṇi

COMENTÁRIOS BASEADOS EM ADVAITA VEDĀNTA POR

GLORIA ARIEIRA

SEXTANTE

त्वदीयं वस्तु गोविन्द ।
तुभ्यं समर्पये ॥

tvadīyaṁ vastu govinda |
tubhyaṁ samarpaye ||

Ó Senhor cuja forma é o universo,
aquilo que lhe pertence
eu lhe ofereço.

Copyright © 2017 por Gloria Arieira
Todos os direitos reservados. Nenhuma parte deste livro pode ser utilizada ou reproduzida sob quaisquer meios existentes sem autorização por escrito dos editores.

Tradução e Comentários: *Gloria Arieira*

Capa: *Ana Paula Daudt Brandão*

Revisão: *Ana Grillo e Rafaella Lemos*

Design e diagramação: *Daniela Navaes*

Impressão e acabamento: *Bartira Gráfica e Editora S/A*

CIP-BRASIL. CATALOGAÇÃO NA PUBLICAÇÃO
SINDICATO NACIONAL DOS EDITORES DE LIVROS, RJ

A746y Arieira, Gloria

O yoga que conduz à plenitude / Gloria Arieira; Rio de Janeiro: Sextante, 2017.
304p.; 14 x 21cm.
Inclui bibliografia

ISBN 978-85-431-0521-5

1.Yoga. 2. Corpo e mente. 3. Meditação - Aspectos fisiológicos. I. Título.

17-44489 CDD: 613.7046
CDU: 613.72

Todos os direitos reservados, no Brasil, por
GMT Editores Ltda.
Rua Voluntários da Pátria, 45 - Gr. 1.404 - Botafogo
22270-000 - Rio de Janeiro - RJ
Tel.: (21) 2538-4100 - Fax: (21) 2286-9244
E-mail: atendimento@sextante.com.br
www.sextante.com.br

SUMÁRIO

PREFÁCIO

Apresentar uma obra como esta que você tem agora em mãos, com a facilidade da tradução direta e minuciosa da mestra Gloria Arieira, com certeza não é tarefa fácil.

Os Yoga Sutras têm sido a minha grande fonte de estudo, acredito que assim como dos demais colegas, desde que iniciei meu caminho pelo Yoga.

A princípio apenas como curiosidade de uma técnica milenar, que norteava aquela prática que eu já sentia tão perfeitamente elaborada. Com o avançar dos estudos, mais fui me impressionando e buscando fontes de informação que complementassem esse conhecimento.

Mas nessa época, ela se apresentava como uma obra isolada, talvez apenas um manual de conduta e prática. Algo se sentia faltar, como um enredo sem final.

Percebia, porém, que havia algo mais. Como se o autor nos quisesse revelar nas entrelinhas algo que escapava.

Tal era a perfeição natural da leitura de seus ensinamentos que se sentia que a mensagem não acabava ali.

Patañjali teria vivido na chamada "era de ouro dos sábios da Índia", quando nasceram grandes mestres renovadores de costumes. É possível que os Yoga Sutras não sejam sua única obra, já que ele era conhecedor de várias ciências, mas é sem dúvida a mais conhecida.

Escrita em 196 aforismos e chamada de "Ashtanga Yoga, os oito passos do Yoga", trata-se na verdade de uma compilação de vários aspectos da vida de um yogue, ou aspirante a sê-lo.

Mas qual é o seu objetivo?

É aí que entra esta nova-antiga obra que o Vidya Mandir nos oferece.

Quando temos a oportunidade de estudar com uma tradução direta da fonte, entendendo o valor de cada palavra, seu significado real e gramatical, com as nuances da linguagem sânscrita da época, só então o segredo se revela. E é tão simples.

A filosofia védica é um corpo único e é necessário ter um mínimo de conhecimento dela para que toda esta sabedoria única se abra para nós.

A perspectiva de vedanta traz conhecimento e esclarecimento à obra, o que falta a talvez todas as traduções para o português. Vedanta se abre para ela como a retirada do famoso "véu da ignorância", e tudo faz sentido.

Esta obra é fruto de muitas horas de aula, muitos estudos e comentários.

Muitos pedidos e a sempre presente busca dos praticantes sinceros foram juntando semente por semente como uma mala, até criar a corrente que levou a esta publicação.

Por fim, só temos a agradecer a nossa mestra Gloria Arieira por ter atendido aos nossos anseios, meus e de meus colegas, e nos presenteado com esta obra preciosa que temos agora em mãos.

Amigos, leiam, aproveitem, guardem e divulguem em nome do Yoga do Brasil.

Carinho e gratidão.
Namaste.

Vera Shivani

PREFÁCIO

Comecei a me interessar por yoga em 1966, quando estava fazendo um curso de intercâmbio nos Estados Unidos e assisti, na escola, a uma demonstração de um ginasta profissional que se tornara praticante e divulgador do yoga. Não me lembro de muita coisa do que ele disse, mas me lembro de alguns slides com posturas, especialmente uma em que ele fazia shirshasana (o pouso sobre a cabeça) num posto de gasolina, ao lado de seu carro, enquanto o abastecia de combustível. Também disse que a prática de yoga supria todas as necessidades de exercício para sua atividade profissional e, ao sair do palco, deu um salto mortal com tal leveza e aparente facilidade que deixou a todos maravilhados.

Quando voltei dos Estados Unidos, trouxe dois livros que depois se mostraram muito importantes na minha vida: *The Study and Practice of Yoga*, de Harvey Day, e *The Song of God: Bhagavad-Gita*, numa tradução de Swami Prabhavananda e Christopher Isherwood.

O livro de Day, escrito nos anos 1950, era muito prático e agradável de ler, cobrindo muitos temas: posturas, respiração, fisiologia, meditação e alimentação. Assim começou minha aventura no mundo do yoga: tentando aplicar o que aprendera de um livro, como tantos outros naquela época.

Mais tarde entrei para uma academia de yoga e comecei a praticar sob a orientação de uma professora.

Em 1979, quando praticava na academia de yoga de Victor Binot, Paulo Guerra, meu professor, trouxe alguns livros do The Yoga Institute, o centro de yoga organizado mais antigo do mundo, fundado por Shri Yogendra em 1918, em Mumbai. Um deles era *Yoga Sutra - Classic Yoga of Patanjali*, na tradução do próprio Shri Yogendra. Esse foi meu primeiro contato com a obra de Patañjali.

Na introdução, Shri Yogendra conta que, enquanto praticava as técnicas do yoga sob as orientações de seu guru, ele não foi apresentado ao sistema de Patañjali. Como de um discípulo não era esperado que questionasse seu mestre, apenas o seguisse, ele decidiu coletar toda informação teórica que pudesse por si mesmo, de livros. Em 1921, quando estava no seu período de divulgação do yoga no Ocidente (1919-1922), recebeu da Índia o texto dos Yoga Sutras com comentários de Vyasa e Vacaspati, em sânscrito com tradução em inglês. Enquanto examinava o texto, resolveu traduzir os sutras com base na sua experiência em yoga. Por muitos anos continuou esse trabalho, inclusive coletando outros comentários dos Yoga Sutras, até que conseguiu assimilar e corroborar seu espírito com as técnicas que aprendera de seu mestre Madhavadasa. Esse trabalho foi publicado em 1978.

Em 1981 encomendei vários livros da Índia na Livraria Laissue, de Francisco Juan Laissue, um argentino de ascendência francesa, que durante muitas décadas foi a mais importante fonte de livros sobre o Oriente no Rio de Janeiro.

Um desses livros foi *The Yoga-System of Patañjali*, de James Haughton Woods, publicado em 1914 pela Universidade Harvard, onde era professor. Era, portanto, um trabalho acadêmico. Já existiam traduções dos sutras em si, mas Woods fez a primeira tradução para uma língua ocidental dos comentários de Vyasa sobre os Yoga Sutras, chamado Yoga Bhashya, e também de um comentário posterior, de Vacaspati Mishra, chamado Tattva Vaisharadi.

Ele tratava também da autoria dos Yoga Sutras, pois a primeira referência conhecida a Patañjali como seu autor aparece num verso laudatório na introdução do comentário de Vyasa, mas não no comentário em si.

No entanto, a tradição diz que Pantañjali é o autor não só dos Yoga Sutras, como também do Mahabhashya, o grande comentário sobre a gramática de Panini, além de ter escrito comentários sobre textos de medicina Ayurveda.

Também há quem defenda que os Yoga Sutras são uma criação coletiva de muitos autores.

A autoria é uma preocupação ocidental, pois nossa cultura valoriza a contribuição do indivíduo, que tem implicações legais e financeiras. Mas numa tradição em que tudo é uma manifestação de uma ordem cósmica, a expressão dessa manifestação através de um indivíduo também faz parte dessa ordem. Nesse caso a autoria não é uma preocupação tão importante.

Mais tarde examinei outras traduções dos Yoga Sutras feitas por mestres de Yoga: Iyengar, Swami Satyananda, Swami Satchidananda e T.K.V. Desikachar.

O que há em comum em todas as traduções a que tive acesso é que são bastante diferentes. Concluí que são a expressão da experiência pessoal de cada autor na interpretação dos sutras. Não identifiquei uma tradição de ensinamento de mestre a discípulo que mantivesse uma unidade de pensamento, como se tem em Advaita Vedanta e em outras tradições de ensinamento.

Também examinei trabalhos acadêmicos: *Yogasutrabhashyavivarana of Shankara*, da Dra. T. S. Rukmani, e *The Yoga Sutras of Patañjali*, de Edwin Bryant.

Os sutras são uma maneira peculiar de transmissão de ensinamento da cultura indiana. Usam um mínimo de palavras para transmitir uma mensagem e facilitar sua memorização. Para seu entendimento completo é necessário acrescentar outras palavras.

Por isso não se prestam ao estudo individual. Woods os chama de regras mnemônicas. Bryant diz que são como os *bullet points* que um palestrante utiliza para guiá-lo numa apresentação.

Portanto, para o entendimento dos Yoga Sutras é necessária uma interpretação.

Para muitos, os Yoga Sutras seriam uma expressão do Sankhya, uma tradição ateísta dentro do hinduísmo. Provavelmente por causa dos comentários de Vyasa, que seguiram essa tradição e serviram de base para os comentários posteriores.

Não vejo assim, pois há muitas referências a Ishvara (Aquele que governa). Portanto, uma tradução dos Yoga Sutras à luz de Vedanta me parece bem-vinda.

Estudei Advaita Vedanta com Gloria Arieira por 35 anos, desde que ela começou a ensinar, em 1979, após cinco anos de estudo intenso e dedicação total na Índia. Sou testemunha de seu empenho em viver uma vida de yoga. Optou por levar uma vida dentro da sociedade, com seus problemas e ensinamentos. Criou e educou três filhos. Escolheu não levar uma vida de renunciante, como muitos de seus colegas de ashram escolheram, mas todos que conheci têm enorme respeito por ela.

Portanto Gloria Arieira, pelo seu conhecimento profundo de Advaita Vedanta e sânscrito e pela sua experiência de levar uma vida de yoga, é a pessoa certa para nos apresentar essa tradução dos Yoga Sutras de Patañjali à luz de Vedanta.

João Mazza

INTRODUÇÃO 1

A tradição védica tem como base os *Vedas*, também chamados de *Śruti*, o conhecimento que foi "escutado" pelos sábios antigos, os *ṛṣis*. Seus temas principais são dois:

- *karma*, a ação, seu resultado e as leis que a governam;
- *jñāna*, o conhecimento da natureza do indivíduo, *jīva*, da causa da criação, *Īśvara*, e da própria criação, *jagat*.

Os *Vedas* também falam sobre o estilo de vida que ajuda a pessoa a alcançar esse conhecimento, que é chamado de *Yoga*. Além disso, existem outras áreas de conhecimento, completando o que é chamado de *Sanātana-dharma*, a Tradição Eterna.

Esses conhecimentos estudados paralelamente aos *Vedas* são os quatro *upāṅgas*:

- *purānas*, as histórias;
- *nyāya*, a lógica;
- *mīmāṁsā*, a análise;
- *dharma-śāstra*, o estudo da conduta correta.

Há também os seis *vedāṅgas*:

- *śikṣā*, a fonética;
- *vyākaraṇa*, a gramática;
- *chandas*, a metrificação poética;
- *nirukta*, a etimologia;

- *jyotiṣa*, a astronomia;
- *kalpa*, a execução de rituais.

Existem ainda quatro outras áreas de conhecimento que derivam dos *Vedas*, que são os *Upavedas*:

- *āyurveda*, conhecimento da vida e da saúde;
- *dhanur-veda*, sobre armas e guerra;
- *gandharva-veda*, as artes, como a dança, o teatro, a música;
- *artha-śāstra*, sobre a arte de governar.

Podemos ainda incluir na tradição védica outras obras literárias como:

- *śilpa-śāstra*, sobre escultura e arquitetura;
- *vāstu-śāstra*, sobre construção harmônica de templos e imóveis residenciais e o planejamento de uma cidade;
- *āgama-śāstra*, sobre regras na construção de templos, instalação de deidades e rituais;
- *yoga-śāstra*, os *sūtras* de *Patañjali*, sobre *Yoga*;
- *kāvya-śāstra*, sobre a poesia e as peças teatrais que transmitem *rasa*, uma variedade de sentimentos humanos que são descritos em detalhes.

Inspirada nessa rica tradição, nasce uma vasta literatura devocional, em sânscrito e nos vários dialetos, escrita por devotos que falavam de suas experiências e percepções.

Todo esse enorme corpo de conhecimento, vivo há milhares de anos da mesma maneira, sem sofrer transformação, compreende o *Sanātana-dharma*.

Os *Vedas* são um meio de conhecimento, um *pramāṇa*, desses temas que não são encontrados em outros lugares e a que não se tem acesso através de outros meios, como os sentidos e a lógica. Como acontece com qualquer estudo, a valorização, o respeito, a confiança e o compromisso são fatores fundamentais para que este conhecimento seja compreendido em cada detalhe e dentro de uma visão única.

Os *Vedas* são quatro, *ṛk*, *sāma*, *yajur*, *atharva*, e seus temas são os quatro *puruṣārthas*, ou objetivos da vida humana:

- *artha*, segurança;
- *kāma*, prazer;
- *dharma*, mérito para uma vida melhor depois da morte e valores éticos;
- *mokṣa*, a liberação.

Em cada um dos *Vedas*, temos duas partes distintas que são chamadas de:

- *karma kāṇḍa*, que lida com *karma*, a ação e seus resultados, e o *dharma*, valores éticos que devem governar *kāma*, a busca pelo prazer, e *artha*, a busca por segurança;
- *jñāna kāṇḍa*, que lida com *mokṣa*, a busca pela liberação da sensação de limitação e mortalidade.

Nesta parte final temos os diálogos entre mestre e discípulo, que tratam da natureza essencial do indivíduo como já livre de limitação. A limitação é apresentada como uma sensação, não um fator real, por isso a liberação se faz através de conhecimento. Por estar na parte final dos *Vedas*, chama-se *Vedānta* (*anta* significa fim ou parte final).

Para que esse conhecimento possa ser alcançado, os *Vedas* apresentam dois estilos de vida: uma vida de renúncia, chamada de *nivṛtti mārga*, e uma de ação, chamada de *pravṛtti mārga*. Na primeira, a pessoa deixa de lado suas obrigações com a sociedade e a família e se dedica exclusivamente ao estudo, à reflexão e à meditação. Na segunda, a pessoa permanece na sociedade, casada, envolvida com família e trabalho, porém sua vida é de *Yoga*. Isso quer dizer que ela faz ações, cumpre suas obrigações, até mesmo satisfaz desejos, mas sempre atenta ao *dharma*, os valores éticos universais, e à sua atitude na ação e ao receber o resultado dela, mantendo o estudo e a meditação diários.

Na linguagem dos *Vedas*, esta pessoa faz suas obrigações, *nitya-karmas* e *naimittika-karmas*, diárias e ocasionais, sejam religiosas, como orações e rituais, ou mundanas. Faz também *kāmya-karmas*, ações impulsionadas pelo desejo, pois ela possui gostos e aversões, *rāgas* e *dveṣas*. No entanto, deve satisfazer suas vontades através de meios apropriados, adequados, que produzem resultados positivos, chamados de *puṇya*, e evitar meios não apropriados, que, mais tarde em sua vida, produzem resultados negativos, *pāpa*. A atenção na execução das ações e na atitude ao receber seu resultado conduz a um crescimento interior, emocional, chamado *antaḥkaraṇa-śuddhi*, que, junto com *antaḥkaraṇa-naiścalya*, a capacidade da mente de se concentrar e manter o foco, é fundamental para a aquisição do autoconhecimento. Tal estilo de vida, que inclui uma relação com *Īśvara*, o criador, e resulta em mais objetividade e apreciação da ordem que governa o universo, é chamado de *Yoga*. Esse é o assunto deste livro.

Para abençoar a humanidade, *Sri Patañjali*, um mestre que, segundo se acredita, viveu entre 500 e 200 a.C., escreveu esse compêndio sobre *Yoga* em frases curtas chamadas *sūtras*.

O tema é o mesmo dos *Vedas* e o formato de *sūtra* também é tradicional, mas a maneira como o tema é apresentado de forma bem-ordenada e elucidativa é obra do mestre *Patañjali*.

Pouco se sabe acerca de sua vida, e o que se fala sobre ele não são fatos, mas lendas. Acredita-se que o autor das obras sobre gramática, medicina e *Yoga* seja o mesmo *Patañjali*. Por isso é dito que ele é uma encarnação divina, de *Ādiśeṣa*, o Senhor das Serpentes. Este, desejando um nascimento humano, escolheu nascer filho de uma *yoginī*, *Goṇikā*. Conta-se que um dia *Goṇikā*, desejando um filho, fez uma oração ao Sol. Ao segurar água nas duas mãos e derramá-la como um oferecimento ao Sol, apareceu em suas mãos uma pequena serpente que tomou a forma humana. Este pequeno ser saudou *Goṇikā* e lhe pediu que fosse sua mãe. *Goṇikā*, feliz, lhe deu o nome de *Patañjali* - *pata* (caído) *añjali* (nas mãos postas em prece).

Além dos *Yoga Sūtras*, *Patañjali* escreveu o *Ayurveda-śāstram*, sobre *ayurveda* - a ciência da saúde e da vida -, e os comentários sobre gramática, o *Mahābhāṣyam*. Assim ele fala à humanidade sobre a saúde do corpo, da fala e da mente.

Esta obra de *Patañjali* sobre *Yoga* está na forma de *sūtras*. Diferente de prosa e da metrificação, o *sūtra* se define da seguinte maneira:

> अल्पाक्षरं असन्दिग्धं सारवत् विश्वतोमुखम् ।
> अस्तोभं अनवद्यं च सूत्रं सूत्रविदो विदुः ॥
> *alpākṣaram asandigdhaṁ sāravat viśvatomukham* ।
> *astobham anavadyam ca sūtravido viduḥ* ॥
>
> *As pessoas que conhecem sūtra dizem que é uma construção literária na qual estão presentes o menor número de sílabas, com um significado claro que pode ser visto de várias maneiras, e que não possui defeitos nem falhas sonoras.*

Sūtra quer dizer fio. É um fio que une vários temas na apresentação e análise de um determinado tema. Os *Yoga Sūtras* contêm 196 *sūtras* divididos em quatro partes:

- *Sādhya-pāda* (também chamado *Samādhi-pāda*);
- *Sādhana-pāda*;
- *Vibhūti-pāda*;
- *Kaivalya-pāda*.

No *Sādhya-pāda*, define-se o que é *Yoga* (1.2), assim como seu objetivo final (1.3).

No *Sādhana-pāda*, *Patañjali* fala sobre cinco *aṅgas*, ou membros, os primeiros dos oito que, juntos, são chamados *aṣṭāṅga (aṣṭa – oito)* e conduzem ao objetivo final. Eles são: *yama, niyama, āsana, prāṇāyāma, pratyāhāra*.

No *Vibhūti-pāda*, fala sobre os três últimos membros, ou *aṅgas*: *dhāraṇā, dhyāna* e *samādhi*, que, juntos, são chamados de *saṁyama*. A prática desses também produz diversos poderes, que são descritos aqui por *Patañjali* e podem ser obstáculos à liberação final.

Por fim, *Kaivalya-pāda* analisa a natureza e a função da mente, a natureza do desejo e seu poder de aprisionamento, a natureza da liberação e seus efeitos.

No comentário introdutório para o terceiro capítulo da *Muṇḍaka-Upaniṣad, Śrī Śaṅkara*, grande mestre de *Advaita-Vedānta*, assim define *Yoga*:

परा विद्योक्ता यया तदक्षरं पुरुषाख्यं सत्यमधिगम्यते ।
तद्-दर्शन-उपायः योगः ।

parā vidyoktā yayā tadakṣaraṁ puruṣākhyaṁ satyamadhigamyate ।
tad-darśana-upāyaḥ yogaḥ ।

Através do conhecimento, o imperecível, chamado Puruṣa, que é o real, é alcançado. Yoga é o auxiliar para o conhecimento do Puruṣa.

Śrī Śaṅkara considera *Yoga* e *Vedānta* como meios para um único objetivo final, a liberação. *Vedānta* é o conhecimento do Absoluto e *Yoga*, o estilo de vida que conduz a esse conhecimento. O meio direto, *mukhya-sādhana*, é o conhecimento da verdade já existente, natureza essencial do indivíduo, do universo e do criador. O meio indireto, *avāntara-sādhana*, é o preparo da mente do estudante, buscador deste conhecimento. O sentimento constante de carência e de limitação do ser humano é devido à ignorância de si mesmo e à conclusão errada de sua real identidade. Por isso, a solução para este problema fundamental que sempre o acompanha é o autoconhecimento. Porém, sua mente necessita de um preparo, e este é alcançado através de um estilo de vida chamado *Yoga*.

Este livro nasceu de aulas que dei no Vidya Mandir, a pedido de vários alunos. Quando Swami Dattatraya Maharaj esteve no Brasil em 1988, tive a oportunidade de conversar muito com ele e servir de intérprete em vários de seus cursos. Foi uma oportunidade única! Swamiji tinha muita vivência como um renunciante que viajou por toda a Índia, tendo peregrinado por muito tempo nos Himalaias e vivido em ashrams com muitos *yogins* e *sādhus*. Tinha muitas histórias interessantes a contar. Era direto e simples. Com ele tive uma visão menos romântica, mais objetiva, da Índia, da tradição espiritual e dos *sādhus* e *sannyāsins* que a representam.

Sādhu é uma pessoa que tem uma busca espiritual, mas é principalmente boa e honesta consigo mesma, simples no sentido mais nobre da palavra – descomplicado e honesto intelectual e emocionalmente. Mais do que renunciante ou erudito, o *sādhu* é um diferencial no mundo. Essa é uma qualificação necessária para a assimilação do conhecimento de *Vedānta*.

O *sannyāsin* é uma pessoa que renunciou, através de um ritual, à vida de casado e a uma profissão com sustento financeiro em nome de uma vida espiritual. Nem sempre um *sannyāsin* é um *sādhu*, e nem sempre este último é um *sannyāsin* formal, que usa roupa laranja e ensina em um ashram.

Sou grata a Swami Dattatraya pelas oportunidades que tive de conversar com ele. Ele foi um grande e autêntico *yogin*. Quando servi de intérprete em suas aulas de *Yoga Sūtras*, disse-lhe que ele havia falado sobre *Vedānta*, não sobre o *Yoga* com visão dualista que eu estava acostumada a escutar daqueles que propagam o *Yoga* como separado e diferente de *Vedānta*. Para minha surpresa, aquele *yogin* me disse que não poderia ser diferente, pois *Vedānta* é a base da tradição dos *Vedas* e tudo que se fala dentro dela tem que refletir sua visão. Ao que retruquei: "Assim eu também posso entender e ensinar os *Yoga Sūtras*." E ele respondeu: "Faça isso!" Anos mais tarde, a professora gaúcha de *Yoga* radicada no Espírito Santo, Maria Helena Schmidt, me pediu que ensinasse os *Yoga Sūtras* como parte do curso de formação de professores de *Yoga* em Vitória. A princípio disse que não poderia, pois não era da minha área, porém, lembrando-me do Swami Dattatraya, ensinei pela primeira vez este texto de *Śrī Patañjali*: "Os *Yoga Sūtras* de *Patañjali* à luz de *Vedānta*". Anos depois, em 2002, este curso foi oferecido, aos sábados, no Vidya Mandir, com a presença de muitos professores de *Yoga* do Rio de Janeiro, além dos estudantes de *Vedānta*. A professora de *Yoga* Vera Lucia Oliveira, ardente devota do Senhor *Śiva*, com insistência e entusiasmo, me falou da importância da tradução dos *Yoga Sūtras* diretamente do sânscrito para o português e acompanhada de comentários. Ela mesma havia tomado muitas notas durante o curso. João Luiz Mazza também deu um grande suporte para a realização deste livro.

E o Vidya Mandir cumpre mais uma vez seu papel de manter viva a tradição védica, com traduções do original em sânscrito para o português. Com as bênçãos dos mestres e o apoio de muitas pessoas que valorizam essa tradição – pois elas mesmas foram abençoadas por ela com clareza e paz em suas vidas –, este livro está hoje em suas mãos.

Gloria Arieira
1º de janeiro de 2006

INTRODUÇÃO 2

O verso 4.4.19 da *Bṛhadāraṇyaka Upaniṣad* diz: o Eu tem que ser conhecido com a mente, *manasā eva anudraṣṭavyam*. O verso 1.6 da *Kena Upaniṣad* diz: o Eu é aquilo que a mente não pode pensar, *yam manasā na manute*. Temos aqui um paradoxo. É na mente que qualquer conhecimento acontece. Mas como o Eu é a base da mente, ela não o pode objetificar. Qual a solução possível? Será que existe uma solução?

Qualquer conhecimento tem que ser alcançado com a mente, porém não com o pensamento comum - *viṣaya-vṛtti* -, mas um pensamento específico no qual sujeito e objeto são idênticos. Este pensamento elimina a diferença entre o sujeito, *jñātṛ*, e o objeto, *jñeya*. Esse pensamento é conhecido como *akhaṇḍa-ākāra-vṛtti*; é um pensamento da mente, *citta-vṛtti*, mas muito específico. Produzir esse pensamento específico de conhecimento do Eu é o objetivo do ensinamento de *Vedānta*.

Ao afirmarem que a mente do sábio desaparece, os sábios querem dizer que não há mais identificação do Eu com a mente, pois o Eu real é conhecido. A mente não desaparece, mas a realidade que foi dada a ela até então desaparece.

Arjuna reclama de sua mente, no capítulo 6 da *Gītā*, mas o mestre *Kṛṣṇa* lhe diz que a agitação da mente é natural. Ela pode ser controlada por *abhyāsa*, a repetição, e *vairāgya*, o desapego, método ensinado também por *Patañjali*.

O sábio Swami Vidyaranya diz, em seu livro

Jivanmuktiviveka, que o controle da mente pode ser feito de duas formas - *haṭha-nigraha*, à força, e *krama-nigraha*, gradual. Esta última através do conhecimento da realidade do Eu e da natureza não real de todos os objetos. Além do estudo, a vida de *Yoga* também é importante para a apreciação da realidade do Eu.

Com o comentário de *Śrī* Swami Vidyaranya, podemos entender que dois instrumentos são considerados pelos mestres para a liberação. Um pela força e o controle da mente, que devem ser constantes. Outro através do estudo e de uma vida de *Yoga*. Somente o conhecimento do Eu livre liberta a pessoa definitivamente.

Śrī Kṛṣṇa diz a *Arjuna* que é impossível definir ou descrever o sábio. Ser sábio, diz *Kṛṣṇa* no verso 2.7 da *Bhagavadgītā*, depende de sabedoria. Seu coração deve estar pleno e completo como o oceano - águas entram e saem, e o oceano continua completo, sem ser afetado.

É verdade que encontramos pessoas que discursam bela e brilhantemente, mas o conhecimento não lhes serve, pois continuam insatisfeitas, buscando reconhecimento e elogio dos outros para estarem bem. Também encontramos pessoas que se empenham no controle do corpo e da mente e na aquisição do *samādhi*, através dos quais diferentes poderes são adquiridos. Consequentemente, cresce seu *ahaṅkāra*, o ego.

Sem dúvida existirão dificuldades sempre. Porém, analisando as duas visões para a liberação, podemos dizer que existe um meio que é principal e outro que é secundário. Sem conhecimento a liberação é impossível, mas, se a pessoa já tiver um preparo da mente, *Yoga* pode ser dispensável

Yoga é *pravṛtti-mārga*, o caminho da ação, *karma*.

Como nos diz *Śrī Śaṅkara* em sua introdução à *Īśavāsya Upaniṣad*, sempre haverá um resultado correspondente à ação. Toda ação poderá:

- produzir algo, *utpādyam*,
- modificar algo, *vikāryam*,
- alcançar algo, *āpyam*,
- purificar algo, *saṁskāryam*.

Todos os quatro resultados trazem alguma mudança. Quando se propõe a liberação através da ação, é porque a mente é considerada um problema e a liberação seria a transformação dela.

O conhecimento, *jñāna*, é *nivṛtti-mārga*, o caminho da renúncia. A proposta aqui não é transformação para a liberação, mas o conhecimento do Eu que sempre foi livre e completo e que, no entanto, não é reconhecido por nós, apesar de ser sempre presente e experienciado.

Vedānta inclui *Yoga*, *Yoga* inclui *Vedānta*. O primeiro diz que o problema é apenas uma questão de ignorância e que a solução é o conhecimento. Como meio secundário para a liberação, é enfatizada a importância de uma vida de *Yoga*. Quando a ignorância é considerada o único problema, a solução é o conhecimento - o Eu já é livre e deve ser reconhecido como tal. Se o problema está na mente, que é agitada e deve ser acalmada, será que a solução será definitiva? Se a mente era agitada antes e agora foi acalmada, o que nos garante que ela não se tornará agitada novamente? A solução definitiva para o problema humano só pode vir do autoconhecimento. Qualquer outra solução seria provisória.

Podemos apreciar a obra de *Śrī Patañjali*, que faz parte da tradição dos *Vedas*. De forma original, ele nos dá detalhes sobre a mente e suas transformações até o *samādhi*. Para um estudante de *Vedānta*, a obra o ajuda a entender sua mente e os obstáculos possíveis para lidar com ela.

Que *Śrī Patañjali* abençoe a todos que escutarem e lerem este comentário dos *Yoga Sūtras*. Que ele ilumine nossos olhos e nossa mente para que possamos transmitir o ensinamento fiel e claramente. Meus agradecimentos ao grande mestre *Śrī Patañjali*. *Jaya*!

Dia da Vitória, Vijaya-dashami
Outubro de 2014
Gloria Arieira

INTRODUÇÃO 3

Foram necessários muitos anos e o convívio com meus três filhos, Bernardo, Mauricio e Carolina; com minha nora, Gabriella; com meu neto, Bento; e, com certeza, também com nosso cão Paçoca, para estar pronta para finalizar este trabalho de comentar os *Yoga Sūtras* de *Patañjali*. Foram eles e, mais recentemente, a oportunidade de cuidar de Bento e conversar com seus pais que me mostraram quão importante é uma rotina bem estabelecida, com compromisso, e o entendimento da responsabilidade dos pais de ensinarem a seus filhos, desde recém-nascidos, a lidar com suas emoções, a reconhecê-las e saber o que fazer para gerenciá-las.

Os mestres de *Vedānta* e, portanto, de uma vida de *Yoga*, assim como os pais, devem ensinar sobre a importância de uma rotina diária, do entendimento das emoções e da prática do domínio sobre si mesmo, sobre as emoções.

Com meus filhos fui obrigada a rever meus conceitos de educação. Há causa e consequência na forma do viver desde a primeira infância até a idade adulta. A educação com limites, conduzindo ao autodomínio dentro de uma rotina apropriada, é fundamental. Entendi que ser pai ou mãe não é somente cuidar e proteger, mas também ensinar muitas coisas, principalmente sobre si mesmo, sobre como lidar consigo mesmo e com as emoções, sempre com compromisso e o estabelecimento de uma rotina.

Entendi que era isso que *Śrī Patañjali* quis dizer nos seus *Yoga Sūtras*! Para se alcançar qualquer coisa na vida, qualquer um dos quatro *puruṣārthas*, os objetivos da vida, deve haver clareza de objetivo e paciência, com firmeza e perseverança - em especial, evidentemente, para se alcançar a liberação final, *mokṣa*. Então, como com a educação de um bebê, é necessário rotina, entendimento das emoções e autodomínio, clareza, perseverança e constância. Seja para um bebê ou um adulto. *Patañjali* nos oferece o segredo da disciplina, uma vida de *Yoga*, para a libertação dos sofrimentos.

Por fim entendi este segredo, ao vislumbrar um dia, em setembro de 2016, a eficácia da rotina, que é *abhyāsa*, a constância; o poder do questionamento, *vicāra*; a força de saber lidar consigo mesmo deixando de lado o que não é benéfico para sua própria vida, *vairāgya*; a importância de cultivar o valor pelo autocontrole, na forma de *śama* e *dama* ou dos *yamas* e *niyamas*.

Patañjali, o grande mestre de uma vida de *Yoga*, desejou ensinar seus filhos a escolherem suas vidas, nesta sua grande obra em forma de *sūtras*. Nela, podemos observar alguns pontos significativos.

A coletânea de 196 *sūtras* que compõe a obra de *Śrī Patañjali*, os *Yoga Sūtras*, é parte da tradição dos *Vedas*. Podemos notar que nesta composição é mencionado somente um *Puruṣa*, que, nas *Upaniṣads*, os textos básicos de *Vedānta*, é chamado de *Brahman*.

O *Puruṣa* é a realidade básica e imutável do universo, aquele que já existia antes da criação, como diz o verso 2.7.1 da *Taittirīya Upaniṣad*. Ele é a causa da criação através do poder de *Māyā*, que é o poder de fazer aparecer, ou de criar, sem que haja transformação por parte da causa. *Māyā* é o poder de criar, por isso é chamada de *māyā śakti*. Esse criar é explicado pela tradição oral como: *svasvarūpa-aparityāgena rūpāntara-āpattih* (o aparecimento de outra forma sem ceder nada de sua natureza original). Há o aparecimento de algo diferente sem que sua causa, *Brahman*, sofra qualquer transformação. *Brahman* é então a causa e o universo; a criação, ou dualidade, não é real, é aparentemente real, é *mithyā*. Assim como o indivíduo é a causa do sonho e também o próprio sonho.

Além da declaração de único *Puruṣa*, o mestre *Patañjali* menciona *Īśvara* e mostra quão importante é para o *Yoga* o relacionamento do indivíduo, *jīva*, com *Īśvara*. Ao notar esses dois pontos, não se pode negar a relação com o *Vedānta*, as *Upaniṣads* encontradas no final dos *Vedas*. Podemos dizer, porém, que o *Yoga* enfatiza a disciplina da mente, e *Vedānta* ressalta o autoconhecimento, que é o entendimento de que o livre de limitação *Brahman* é a verdade do Eu, *Ātman*. Mas mesmo enquanto ensina sobre a mente, suas características e como lidar com ela, o foco maior do *Yoga* é o autoconhecimento, o mesmo de *Vedānta*.

Vedānta repetidamente mostra a importância da coerência entre o pensar e o agir, o compromisso com os valores que devem ser entendidos e assimilados para poderem fazer parte da vida do buscador, que deve ser um *yogin*. Para que haja o alinhamento necessário, *ārjavam*, entre pensamentos, palavras e ações, os valores universais devem se tornar valores pessoais. Como dizia meu mestre, *Śrī* Swami Dayananda Saraswati: um valor só é um valor quando o valor pelo valor é valorizado por você! Esse entendimento é a base para o *dharma*, para que o que é correto seja seguido.

Dharma é, de forma geral, *sāmānya-dharma*, os valores universais, como dizer a verdade, não ferir, ser coerente etc. *Dharma*, na forma específica, *viśeṣa-dharma*, é seguir seu próprio papel adequadamente, de acordo com cada relacionamento no mundo; é também chamado *svadharma*.

Dharma é também uma qualidade específica dos objetos no universo; são as qualidades que diferenciam os objetos uns dos outros. Porém *Brahman* é livre de qualidades, por isso chamado de *nirguṇa*.

Para que a visão do conhecimento, que é a visão do sábio, possa ser melhor entendida, as *Upaniṣads* explicam as três ordens de realidade com que lidamos. São elas: *pāramārthika-satta*, *vyāvahārika-satta* e *prātibhāsika-satta*.

No verso 2.4.14 da *Bṛhadāraṇyaka Upaniṣad*, o mestre e sábio *Yājñavalkya* menciona a realidade relativa, em que há dualidade e tudo muda constantemente - *vyāvahārika-satta*.

No mesmo discurso, o mestre diz que quando o Absoluto sempre presente é apreciado, tudo o mais é reconhecido como não real, ou aparentemente real, *mithyā*. Essa realidade única é *pāramārthika-satta*; ao percebê-la, a dualidade desaparece, perde sua realidade.

Além disso, dentro da realidade relativa existe a visão pessoal de cada indivíduo, uma interpretação da realidade relativa. Essa realidade subjetiva é chamada de *prātibhāsika-satta*.

O indivíduo, *jīva*, dotado de corpo, mente e intelecto, inevitavelmente se relaciona com o universo. Tem uma visão pessoal de como o mundo e inclusive as outras pessoas deveriam ser e perde a chance de ver o universo como um Todo único, um corpo único, governado por um conjunto de leis que não dependem do indivíduo. A causa do universo, o próprio universo e as leis inteligentes que tudo governam são chamados *Īśvara*.

Jīva é *vyaṣṭi*, é individual; *Īśvara* é o todo, *samaṣṭi*. Livremente traduzimos como Ser individual e Ser cósmico, querendo dizer que assim como o indivíduo é percebido como uma unidade, em que corpo, sentidos, mente, intelecto e o inconsciente funcionam para seu bem total, com a natural capacidade de considerar o bom funcionamento do conjunto; também o Todo cósmico é uma unidade e funciona para o bem maior de todas as suas partes. Na visão de *Vedānta*, apresentada no segundo capítulo da *Taittirīya Upaniṣad* e no *Tattvabodhaḥ*, tanto o indivíduo como o Todo são constituídos de corpo físico, corpo sutil (energia vital, mente e intelecto) e corpo causal, ou não manifesto, seja na forma individual ou cósmica. O indivíduo evidentemente faz parte do Todo, apesar de ser percebido como separado. E a verdade imutável que sustenta ambos é uma só – é *Brahman*, ou *Puruṣa*.

Vedānta é muito difícil de ser entendido. No sul da Índia, quando há algo difícil de se compreender, dizem com graça: "Isto é *Vedānta*!" De fato, como diz *Śrī Śaṅkara* no seu comentário ao verso 1.2.12 da *Muṇḍaka Upaniṣad*: *svātantryeṇa brahma-jñāna-anveṣanam na kūryāt*. Sozinho não se pode estudar e entender adequadamente. É necessário um mestre para o ensinamento do Absoluto poder ser entendido e para o buscador não se tornar arrogante. Conhecimento e humildade, *vidyā* e *vinaya*, devem vir juntos, porém é comum vermos a arrogância de um autodidata!

Em 2007, conversando por e-mail com meu colega de curso em Sandeepany Sadhanalaya, Alan Kellogg, descobrimos que nós dois estávamos trabalhando na tradução e nos comentários do mesmo texto, os *Yoga Sūtras* de *Patañjali* à luz de *Advaita Vedānta*. Foi interessante ver a tradução dele e podermos conversar pessoalmente sobre nossos projetos em 2014, no ashram de Swamiji em Coimbatore, quando lá estive.

Com o apoio inicial de Paula Ornelas e o trabalho longo e dedicado de Adélia de Faria, o incentivo dos alunos, em especial Vera Lucia Oliveira "Shivani", João Luiz Mazza e Maria Teresa Martins, além da apreciação da professora doutora Maria Raquel

Movschowitz, que leu os manuscritos e apontou sugestões muito significativas e relevantes, este trabalho finalmente ganha forma e é apresentado ao público de *yogins* e *yoginīs* da língua portuguesa.

Agradeço aos meus mestres de *Vedānta*, *Śrī* Swami Dayananda, *Śrī* Swami Chinmayananda e *Śrī Śaṅkara*, e tantos outros que foram meus mestres na vida, como meus pais, meus filhos, meu neto Bento, e meus alunos. A todos devo a realização deste trabalho de comentar a grande obra do mestre *Patañjali*, a quem devo também meus agradecimentos. Que muitos possam ser beneficiados por este trabalho.

Tomás Pereira, inspirado por algumas de minhas aulas de *Vedānta*, me convidou a fazer a publicação desta obra pela Editora Sextante. A ele também dedico meus agradecimentos.

Saudações aos mestres.
Om tat sat
Brahmārpaṇam astu.

Gloria Arieira
Agosto de 2016

VERSOS DE REVERÊNCIA AO MESTRE PATAÑJALI

योगेन चित्तस्य पदेन वाचां
मलं शरीरस्य च वैद्यकेन ।
योऽपाकरोत् तं प्रवरं मुनीनां
पतञ्जलिं प्राञ्जलिरानतोऽस्मि ॥
आबाहुपुरुषाकारं शङ्खचक्रासिधारिणम् ।
सहस्रशिरसं श्वेतं प्रणमामि पतञ्जलिम् ॥

yogena cittasya padena vācāṁ
malaṁ śarīrasya ca vaidyakena ।
yo'pākarot taṁ pravaraṁ munīnāṁ
patañjaliṁ prāñjalirānato'smi ॥
ābāhupuruṣākāraṁ śaṅkhacakrāsidhāriṇam ।
sahasraśirasaṁ śvetaṁ praṇamāmi patañjalim ॥

Com toda reverência eu saúdo Patañjali, especial entre todos os sábios, que elimina os obstáculos da mente, da comunicação e do corpo através de Yoga, da gramática e da medicina.
Eu saúdo Patañjali, que até o braço tem a forma humana, segura uma concha, um disco e uma espada, tem mil cabeças e é de cor clara.

प्रथमोऽध्यायः

prathamo'dhyāyaḥ

PRIMEIRO CAPÍTULO

साध्यपादः

sādhya-pādaḥ

O OBJETIVO

O primeiro capítulo é chamado de *Sādhya*, "o objetivo"; também é conhecido como *Samādhi*, "a contemplação". Ele introduz o fundamento da obra ao definir, logo nos *sūtras* 1.2 e 1.3, que o comando sobre a mente é o objetivo central do *Yoga*, mas que o objetivo último é a liberação final, que é a permanência na verdade de si mesmo. Então, assim como em *Vedānta*, a preparação da mente tem um objetivo maior do que ela mesma, que é o autoconhecimento. Claramente, em 1.3, *Śrī Patañjali* afirma que o objetivo final do *Yoga* é o permanecer na natureza real do indivíduo, o Ser livre de limitação, e essa permanência se dá através do conhecimento, que é a eliminação da fonte de sofrimento - a ignorância de si mesmo.

Porém, como o mestre *Patañjali* também chama este capítulo de *Samādhi* - conceito explicado ao seu final -, podemos entender que o *Samādhi* é também visto como o objetivo do *Yoga*. Conforme o *sūtra* 1.43, *Samādhi* é quando a mente reflete sua base não dual; isto acontece quando a mente está livre de pensamentos; e quando, apesar dos pensamentos, a base imutável da mente é claramente apreciada. Por isso, a aquietação da mente torna-se também um objetivo do *Yoga* - *sūtra* 1.47. E, por fim, no *sūtra* 1.51, é assinalado o objetivo último, o mais importante, que mostra a ausência de distância entre *Yoga* e *Vedānta*: a clareza de conhecimento é alcançada e o *yogin* permanece livre da ignorância e de todo sofrimento.

É principalmente por causa desses *sūtras* que podemos afirmar que os *Yoga Sutras* do mestre *Patañjali* concordam com a visão de *Advaita Vedānta*.

1.1

अथ योगानुशासनम् ॥

atha yogānuśāsanam ||

Agora, então, o ensinamento de Yoga.

atha = agora, então • ***yoga*** = *Yoga* • ***anuśāsanam*** = o ensinamento de

Atha, como a palavra *Om*, é considerada auspiciosa e tem o papel de invocação ou oração para o bom começo de um empreendimento e para que o seu término seja bem-sucedido. Aqui se inicia o estudo sobre *Yoga*.

Três fatores estão envolvidos na realização de qualquer empreendimento, são eles:

1. *prayatna*, o esforço ou empenho;
2. *kāla*, o tempo; e
3. *daivam*, o divino.

Para se realizar algo, precisamos nos esforçar, fazer ações que nos levem aonde queremos chegar. Essas ações devem ser feitas durante um tempo apropriado; é também necessário esperar para que o objetivo se concretize. Mas, além desses dois fatores, ainda existe um terceiro, que é o imponderável, aquilo sobre o qual não se tem controle, que são as leis da criação. Esse terceiro fator é invocado através de uma oração: que as bênçãos divinas estejam a nosso favor. *Śrī Patañjali* usa a palavra *atha* com esse propósito ao começar o seu *Yoga-sūtra*. Essa mesma palavra também é usada no início do *Brahma-sūtra* e do *Nārada-bhakti-sūtra*.

Ao se finalizar um empreendimento, a expressão *Om tat sat* é usada. Literalmente ela quer dizer "Essa é a verdade". Como diz *Śrī Kṛṣṇa* no capítulo 17 da *Bhagavadgītā*, a repetição de *Om tat sat* neutraliza erros que possam ter sido cometidos.

Os *Vedas* são um meio de conhecimento na forma de palavras que revelam a identidade entre *jīva* e *Īśvara*, o indivíduo e o Todo, causa do universo. Para que este conhecimento possa ser alcançado com clareza, certas qualificações são necessárias; para adquiri-las, *Yoga* é o estilo de vida necessário. Assim, *Yoga* é definido como um auxílio para o conhecimento da verdade absoluta.

Śrī Kṛṣṇa no verso 2.48 da *Bhagavadgītā*, define *Yoga* como *samatvaṁ*, a capacidade de se manter igual, em equilíbrio. E, dois versos depois, ele acrescenta que *Yoga* é *karmasu kauśalaṁ*, a aptidão na escolha da ação. E, mais adiante, no verso 6.23, *Śrī Kṛṣṇa* afirma que *Yoga* é a dissociação da associação com o sofrimento - *duḥkhasaṁyogaviyogaṁ*.

Yoga é, então, a atenção na escolha da ação e no recebimento de seu resultado, com a apreciação da ordem cósmica que governa o funcionamento do universo.

Assim sendo, *Yoga* é o que prepara a mente para a aquisição do autoconhecimento, como afirma *Śrī Śaṅkara* na introdução do capítulo 3 da *Muṇḍaka Upaniṣad* - *tattva-darśana-upāyaḥ yogaḥ*. *Yoga* é o suporte para o conhecimento da Verdade, do eterno *Brahman*.

Aqui, nos *Yoga Sūtras*, *Patañjali* nos diz que o objetivo do *Yoga* é *nirvikalpa-samādhi*, que é a percepção da identidade entre o indivíduo e o Todo, momento no qual a dualidade desaparece numa experiência do Um, da verdade livre de limitação. Para essa apreciação da realidade única, é indicado um estilo de vida que inclui os oito membros do *Yoga*, chamados de *aṣṭa-aṅgas*.

Os *Vedas* analisam os objetivos da vida humana, que são quatro - *artha*, a busca pela segurança; *kāma*, a busca pelo prazer; *dharma*, a busca por uma vida melhor; e *mokṣa*, a libertação do constante sentimento de insuficiência. O objetivo final e significativo para a vida humana é o último, *mokṣa*. Este texto vai explicar esse objetivo último e como alcançá-lo.

1.2

योगश्चित्तवृत्तिनिरोधः ॥

yogaścittavṛttinirodhaḥ ||

Yoga é o controle dos movimentos da mente.

yogaḥ = substantivo masculino derivado da raiz verbal *yuj*, que significa unir, preparar, concentrar a mente em algo, entre vários outros significados • ***citta-vṛtti-nirodhaḥ*** = o controle dos movimentos, ou pensamentos, da mente

Patañjali diz que *Yoga* significa controle sobre as flutuações, ou movimentos, da mente. A mente é uma sequência de pensamentos – *vṛtti-pravāha*. Esse fluxo é natural e acontece por associação contínua.

A mente, que pertence ao indivíduo, chamado de *jīva*, funciona de acordo com a ordem cósmica psicológica, obedecendo a um processo que é lógico. Ao entender a própria mente, sua natureza básica e seu funcionamento particular, é possível ter um comando sobre ela, direcioná-la com paciência, mas sem negligência, na direção desejada. Como é mencionado no verso 2.2.4 da *Muṇḍaka Upaniṣad* e no verso 6.25 da *Bhagavadgītā*:

Muṇḍaka Upaniṣad

प्रणवो धनुः शरो ह्यात्मा ब्रह्म तल्लक्ष्यमुच्यते ।
अप्रमत्तेन वेद्धव्यं शरवत्तन्मयो भवत् ॥

praṇavo dhanuḥ śaro hyātmā brahma tallakṣyamucyate ।
apramattena veddhavyaṁ śaravattanmayo bhavat ॥

Praṇava (Om) é o arco. A mente é mesmo a flecha. Brahman é considerado o objetivo. Ele deve ser meditado pela mente livre de obstáculos. A mente deve se tornar uma com Brahman, como uma flecha que atinge seu alvo.

Bhagavadgītā

शनैः शनैरुपरमेद् बुद्ध्या धृतिगृहीतया ।
आत्मसंस्थं मनः कृत्वा न किञ्चिदपि चिन्तयेत् ॥

śanaiḥ śanairuparamed buddhyā dhṛtigṛhītayā ।
ātmasaṁsthaṁ manaḥ kṛtvā na kiñcidapi cintayet ॥

Que gentilmente ele se acalme com um intelecto que tenha firmeza e, fazendo a mente permanecer em si mesma, que ele não pense em mais nada.

Ao conhecer o processo da mente, é possível conduzi--la para o que se deseja. Em sânscrito a mente é chamada de *antaḥ-karaṇam* (*karaṇam* = instrumento; *antaḥ* = interno), isto porque existe o *bāhya-karaṇa* (*bāhya* = externo), o conjunto de instrumentos externos de conhecimento, os órgãos de percepção:

olhos, nariz, língua, ouvidos e pele. Este *antaḥ-karaṇam* se divide em quatro partes, que são: *manas* - a mente oscilante; *buddhi* - o intelecto; *citta* - a memória; e *ahaṅkāra* - o ego. Como a mente é também constituída de um fluxo de pensamentos, cada uma dessas quatro partes é constituída de pensamentos, cada um de uma natureza diferente. Por isso cada parte ganha um nome diferente. Este fluxo de pensamentos é denominado, em sânscrito, *vṛtti-pravāha* ou *citta-vṛtti*. Aqui temos que mencionar que apesar de existir um nome para a mente como um todo (*antaḥ-karaṇam*) e tecnicamente ela ser dividida em quatro partes e nomes, três desses quatro nomes (*manas, buddhi, citta*) são usados indiscriminadamente significando o todo (*antaḥ-karaṇam*).[1] O *vṛtti*, ou pensamento, tem uma forma que se imprime na mente com a ajuda das informações apreendidas através dos sentidos. A forma do objeto registrada na mente é então reconhecida pelo sujeito. Quando o reconhecimento de um objeto é exato, chamamos de conhecimento ou *jñānam*; quando é diferente de como o objeto é, é considerado um erro.

Quando especificado, *citta* é memória, *manas* é mente e *buddhi* é intelecto.

O quarto aspecto do *antaḥkaraṇa* é *ahaṅkāra*, ou ego, que é também um tipo de pensamento, o pensamento que centraliza todos os outros, o pensamento sobre "eu".

Patañjali usa a palavra *citta* com o significado do conjunto total da mente, não como memória. *Citta-vṛtti* significa portanto "o pensamento da mente". E *citta-vṛtti-nirodha* é o controle ou domínio sobre os pensamentos através do conhecimento do

---

[1] Para mais informações sobre este tema, ver o livro de *Śrī Śaṅkarācārya* - *Tattvabodhaḥ*, publicado pelo Centro de Estudos Vidya Mandir.

funcionamento da mente. No momento final de controle dos pensamentos, há a experiência do *nirvikalpa-samādhi*, o objeto último do *aṣṭānga Yoga*, as oito partes do *Yoga* apresentado por *Śrī Patañjali*. Isto só é possível porque a base da mente, dos pensamentos, é a Consciência, a verdade do sujeito. No *nirvikalpa-samādhi* há a dissolução da dualidade.

Mas como essa dissolução acontece? Os pensamentos de sujeito e de objeto desaparecem e permanece somente sua base, que é a Consciência.

Um exemplo para ilustrar essa dissolução dos pensamentos na Consciência é a dissolução da onda na água. Podemos ver a essência da onda, que é água, de duas maneiras. A primeira é acabando com a onda e assim evidenciando sua essência, que é água. A outra é simplesmente entendendo que a onda nada mais é que água. Assim, mesmo ao ver onda, percebemos sua essência, que é água, sem ter que destruir cada onda. A onda é comparada ao pensamento e a água, à Consciência. Quando a água é percebida como a verdade da onda, mesmo vendo a forma da onda, você "dissolve" a onda na visão da água. Tudo é visto como água somente. Ao ver a onda, você ultrapassa a forma e vê a essência, que é água.

O *samādhi*, neste exemplo, é a dissolução da onda na água, ou seja, a percepção de que o que ela, onda, é, é água. Assim também a dissolução da mente, que é a dissolução dos pensamentos, se dá na Consciência, que é a base dela. Para começar, temos o *samādhi* em que os pensamentos são eliminados; posteriormente, mesmo com os pensamentos, a Consciência continua evidente.

A palavra *nirodha* vem da raiz *rudh* com o prefixo *ni* e significa segurar, prender, confinar, dominar. *Nirodha* é um controle, um domínio.

O controle de pensamentos pode ser feito de duas maneiras - à força ou através de gerenciamento. Os pensamentos fluem continuamente na mente, como as águas de um rio; esse fluxo pode ser freado, retido. Porém, quando solto, correrá com mais intensidade. Este tipo de controle é através da força e é um importante recurso imediato para dominar a mente.

Outra maneira é o controle que nasce do entendimento da natureza da mente. Este é definitivo e não exige força, é natural.

E aí, para que servirá o controle da mente?

1.3

तदा द्रष्टुः स्वरूपेऽवस्थानम् ॥

tadā draṣṭuḥ svarūpe'vasthānam ||

Então há a permanência na natureza do sujeito.

tadā = então • ***draṣṭuḥ*** = (sexto caso da palavra *draṣṭr*), daquele que vê, do sujeito • ***svarūpe*** = na natureza • ***avasthānam*** = a permanência

Para completar o *sūtra* anterior, *Śrī Patañjali* declara a razão final para se desenvolver o domínio sobre a mente. Com a mente sob comando, ela pode ser levada ao conhecimento da natureza do Eu sem perder este conhecimento de vista.

Através deste *sūtra*, *Patañjali* torna claro que o objetivo do *Yoga* é o mesmo de *Vedānta* - o conhecimento claro do Eu. O objetivo não é uma transformação do sujeito para que um dia ele se torne alguém calmo, completo e perfeito, mas a visão de que o Eu já é calmo e completo, apesar da sensação de limitação e carência.

1.4

वृत्तिसारूप्यमितरत्र ॥

vṛttisārūpyamitaratra ॥

Em outras ocasiões, há a identificação com os pensamentos.

vṛtti-sārūpyam = a identificação com os pensamentos • ***itaratra*** = em outras ocasiões

Nas outras ocasiões, quando a pessoa não está em *samādhi*, ela se identifica com os pensamentos. Não havendo o conhecimento do Eu, há a identificação com os vários pensamentos que ocorrem na mente, em permanente fluxo.

1.5

वृत्तयः पञ्चतय्यः क्लिष्टाक्लिष्टाः ॥

vṛttayaḥ pañcatayyaḥ kliṣṭākliṣṭāḥ ॥

Estas modificações da mente são de cinco tipos; são causadoras de sofrimento e não causadoras de sofrimento.

vṛttayaḥ = as modificações da mente, os pensamentos • ***pañcatayyaḥ*** = de cinco tipos • ***kliṣṭa-akliṣṭāḥ*** = causadoras de sofrimento; não causadoras de sofrimento.

Os cinco tipos de pensamento serão explicados nos *sūtras* a seguir.

Além dessa divisão em cinco tipos, os pensamentos são divididos entre causadores ou não causadores de sofrimento.

Os pensamentos que conduzem ao autoconhecimento são não causadores de sofrimento; os pensamentos que não colaboram para o autoconhecimento são os que causam, ou mantém, o sofrimento.

1.6

प्रमाणविपर्ययविकल्पनिद्रास्मृतयः ॥

pramāṇaviparyayavikalpanidrāsmṛtayaḥ ॥

São: pramāṇa (meio de conhecimento válido), viparyaya (erro), vikalpa (fantasia), nidrā (sono) e smṛti (memória).

pramāṇa-viparyaya-vikalpa-nidrā-smṛtayaḥ = meio de conhecimento válido, erro, fantasia, sono, memória (que inclui também o sonho)

Os cinco tipos de pensamentos são enumerados neste *sūtra*. São diferentes formas com que a mente adquire experiência.

Os cinco são explicados:

1.7

प्रत्यक्षानुमानागमाः प्रमाणानि ॥

pratyakṣānumānāgamāḥ pramāṇāni ॥

Os meios de conhecimento são: a percepção, a lógica e as escrituras.

pratyakṣa-anumāna-āgamāḥ = a percepção, a lógica e as escrituras • ***pramāṇāni*** = os meios de conhecimento

Os meios de conhecimento são a percepção direta através dos sentidos; a conclusão lógica; e o conhecimento daquilo que não pode ser conhecido pelos sentidos nem pela lógica - chamado de *apauruṣaya-viṣaya.*

1.8

विपर्ययो मिथ्याज्ञानमतद्रूपप्रतिष्ठम् ॥

viparyayo mithyājñānamatadrūpapratiṣṭham ||

O erro é o conhecimento falso, estabelecido em algo que é diferente.

viparyayaḥ = o erro • ***mithyā-jñānam*** = o conhecimento falso • ***atad-rūpa-pratiṣṭham*** = estabelecido em algo que é diferente

O erro é uma percepção falsa de algo, uma percepção diferente do que a forma do objeto de fato é.

1.9

शब्दज्ञानानुपाती वस्तुशून्यो विकल्पः ॥

śabdajñānānupātī vastuśūnyo vikalpaḥ ||

A fantasia, vazia de substância, segue um conhecimento verbal.

śabda-jñāna-anupātī = segue um conhecimento verbal • ***vastu-śūnyaḥ*** = vazia de substância • ***vikalpaḥ*** = a fantasia

Outro *vṛtti*, ou movimento da mente, é a fantasia ou imaginação. Esta ocorre quando se cria um "conhecimento" de determinado objeto que não está de acordo com tal objeto. A imaginação é a projeção de algo sem a presença do objeto.

1.10

अभावप्रत्ययालम्बना वृत्तिर्निद्रा ॥

abhāvapratyayālambanā vṛttirnidrā ||

O sono profundo é a modificação mental que tem como base a percepção de ausência [de objeto].

abhāva-pratyaya-ālambanā = que tem como base a percepção de ausência • ***vṛttiḥ*** = modificação mental • ***nidrā*** = o sono profundo

O estado mental conhecido como sono profundo é aquele que tem como base a ausência de percepção de todo e qualquer objeto.

1.11

अनुभूतविषयासम्प्रमोषः स्मृतिः ॥

anubhūtaviṣayāsampramoṣaḥ smṛtiḥ ||

A memória é a ausência de perda do objeto experimentado.

anubhūta-viṣaya-asampramoṣaḥ = a ausência de perda do objeto experimentado • ***smṛtiḥ*** = a memória

A memória é não perder um objeto que foi experienciado no passado imediato ou remoto. O objeto fica guardado num arquivo que é chamado de memória.

Como o controle, mencionado no *sūtra* 1.2, pode ser alcançado?

1.12

अभ्यासवैराग्याभ्यां तन्निरोधः ॥

abhyāsavairāgyābhyāṁ tannirodhaḥ ||

O controle daqueles (movimentos da mente)
se dá pela repetição e pelo desapego.

abhyāsa-vairāgyābhyāṁ = pela repetição e pelo desapego • ***tad*** = daqueles • ***nirodhaḥ*** = o controle

O controle dos pensamentos é necessário e deve ser alcançado através do método de *abhyāsa* e *vairāgya*, repetição e desapego.

Arjuna, nos versos 6.33 e 34 da *Bhagavadgītā*, reclama de sua mente, afirmando que é impossível controlá-la. *Kṛṣṇa* responde que o controle da mente de todas as pessoas é mesmo difícil, mas, no verso seguinte, diz que existe um método para se alcançar um domínio sobre ela, que é o mesmo aqui mencionado por *Patañjali* - *abhyāsa* e *vairāgya*.

A repetição:

1.13

तत्र स्थितौ यत्नोऽभ्यासः ॥

tatra sthitau yatno'bhyāsaḥ ॥

A repetição é o esforço para o estabelecimento naquele (objetivo específico).

tatra = naquele • ***sthitau*** = o estabelecimento • ***yatnaḥ*** = o esforço para • ***abhyāsaḥ*** = a repetição

A repetição é uma prática que se repete e que, como *Śrī Kṛṣṇa* nos diz no verso 6.25 da *Gītā*, deve ser realizada gentilmente e com firmeza, trazendo sempre a mente de volta para o objeto de seu foco.

1.14

स तु दीर्घकालनैरन्तर्यसत्कारासेवितो दृढभूमिः ॥

sa tu dīrghakālanairantaryasatkārāsevito dṛḍhabhūmiḥ ॥

E aquela (repetição), praticada com dedicação e cuidado, sem interrupção e por longo tempo, é a base firme.

saḥ = aquela (repetição) • ***tu*** = e • ***dīrgha-kāla-nairantarya--satkāra-āsevitaḥ*** = praticada com dedicação e cuidado, sem interrupção e por longo tempo • ***dṛḍha-bhūmiḥ*** = a base firme

Śrī Patañjali chama a atenção dos *yogins* para o fato de que a disciplina deve ser sempre conduzida com cuidado e dedicação até que haja uma base firme para o sucesso.

1.15

दृष्टानुश्रविकविषयवितृष्णस्य वशीकारसंज्ञा वैराग्यम् ॥

dṛṣṭānuśravikaviṣayavitṛṣṇasya vaśīkārasaṁjñā vairāgyam ||

O desapego é chamado de domínio de quem é livre de desejo por objeto visto ou escutado.

dṛṣṭa-anuśravika-viṣaya-vitṛṣṇasya = daquele que é livre de desejo por objeto visto ou escutado • ***vaśīkāra-saṁjñā*** = é chamado de domínio • ***vairāgyam*** = o desapego

Vaśīkāra é controle ou domínio. *Patañjali* diz que desapego é o domínio sobre o desejo por objetos, sejam eles vistos ou mesmo escutados, como a descrição de objetos potencialmente desejáveis feita por outras pessoas ou pela propaganda.

Para entendermos o desapego, temos que entender a grande força que é o desejo, chamado de *icchā śakti*, o poder de desejar. É ele que impulsiona uma pessoa a fazer a ação. Se não existir desejo, não haverá qualquer ação, desde a mais simples, como levantar um braço, até a execução de um projeto. O desejo pode ser de adquirir algo ou de evitar algo que cause sofrimento.

O desejo também pode ser limitante, aprisionador, porque a pessoa é dominada por ele e não consegue abandoná-lo. Ou pode ser não limitante, pois ela tem a capacidade de abrir mão dele mesmo que com certo esforço.

Podemos ter um domínio mental sobre um desejo, mas isso não quer dizer que haja desapego total; o desejo fica na mente, mas não se traduz em ação. Permanece um sabor pelo objeto. Pelo exercício da disciplina, qualquer pessoa pode se afastar de determinado objeto. Mas no fundo de sua mente o sabor pelo objeto permanece. Este sabor, *rasa*, que é sutil, é o apego, o valor habitual de prazer ou de felicidade alcançados através de tal objeto. É o que também nos é dito por *Śrī Kṛṣṇa* nos versos 2.57-59 da *Gītā*.

> यः सर्वत्रानभिस्नेहस्तत्तत्प्राप्य शुभाशुभम् ।
> नाभिनन्दति न द्वेष्टि तस्य प्रज्ञा प्रतिष्ठिता ॥
>
> *yaḥ sarvatrānabhisnehastattatprāpya śubhāśubham*
> *nābhinandati na dveṣṭi tasya prajñā pratiṣṭhitā* ||
>
> *Aquela pessoa livre de apego em qualquer situação, que não se exalta ao alcançar o agradável e tampouco se irrita ao alcançar o desagradável, tem o conhecimento firme.*

> यदा संहरते चायम् कूर्मोऽङ्गानीव सर्वशः ।
> इन्द्रियणीन्द्रियार्थेभ्यस्तस्य प्रज्ञा प्रतिष्ठिता ॥
>
> *yadā saṁharate cāyam kūrmo'ṅgānīva sarvaśaḥ* |
> *indriyaṇīndriyārthebhyastasya prajñā pratiṣṭhitā* ||
>
> *E quando, como uma tartaruga que recolhe totalmente seus membros, a pessoa é capaz de recolher os órgãos dos sentidos, retirando-os de seus respectivos objetos, seu conhecimento é firme.*

> विषया विनिवर्तन्ते निराहारस्य देहिनः ।
> रसवर्जं रसोऽप्यस्य परं दृष्ट्वा निवर्तते ॥
>
> *viṣayā vinivartante nirāhārasya dehinaḥ* |
> *rasavarjaṁ raso'pyasya paraṁ dṛṣṭvā nivartate* ||
>
> *Os objetos se afastam daquela pessoa que não alimenta os sentidos, mas o gosto pelos objetos permanece. Apreciando o absoluto, até mesmo o gosto desaparece para essa pessoa.*

O total desapego é ser mentalmente independente dos objetos de desejo devido ao entendimento de que nenhum objeto ou pessoa pode fazer o outro feliz. A pessoa consegue ver a incapacidade de um objeto em trazer felicidade, em preencher a sensação de carência e desamparo; ela consegue apreciar o defeito dos objetos, a limitação que eles possuem. Isso é chamado de *viṣaya-doṣa-darśanam*. Só então a pessoa não é afetada pelos objetos, mas isso será tratado no próximo *sūtra*.

1.16

तत्परं पुरुषख्यातेर्गुणवैतृष्ण्यम् ॥

tatparaṁ puruṣakhyātergunavaitṛṣṇyam ||

Superior àquela (renúncia) é a indiferença às características inerentes à natureza, devido ao conhecimento do Ser absoluto.

tat-param = superior àquela • ***puruṣa-khyāteḥ*** = devido ao conhecimento do Ser absoluto • ***guṇa-vaitṛṣṇyam*** = a indiferença às características inerentes à natureza

A maior renúncia, chamada de "*paravairāgya*", é aquela que nasce do conhecimento do Ser absoluto. Esta não exige disciplina. Nela, há uma total indiferença em relação aos *guṇas* que constituem os objetos - *sattva, rajas* e *tamas*; não há preferência de um *guṇa* em relação aos outros, pois compreende-se que os três são naturais e estão em constante movimento.

Os *guṇas* são as três características presentes em todo o universo. O desapego aos *guṇas* significa o desapego aos objetos, que são caracterizados pelos *guṇas*.

Śrī Kṛṣṇa explica, no verso 2.59 da *Gītā*, que os objetos se afastam das pessoas que os deixam de lado, porque elas não lhes conferem um valor intelectual. Porém há o valor habitual de apego a eles, que é chamado de *rasa*, o gosto pelos objetos, ou o hábito de saboreá-los. E esse gosto vai embora quando há o conhecimento do Absoluto.

Esta renúncia é chamada *paravairāgya* e é caracterizada pelo conhecimento do Eu que já é completo.

1.17

वितर्कविचारानन्दास्मितारूपानुगमात् सम्प्रज्ञातः ॥

vitarkavicārānandāsmitārūpānugamāt samprajñātaḥ ||

Samprajñāta [samādhi] ocorre depois dos [quatro tipos de samādhi]: vitarka, vicāra, ānanda e asmitārūpa [que ocorrem com a prática de repetição e desapego].

vitarka-vicāra-ānanda-asmitārūpa-anugamāt = ocorre depois dos [*samādhis* chamados de] *vitarka* (processo de pensamento lógico), *vicāra* (análise), *ānanda* (satisfação) e *asmitārūpa* (estar consigo mesmo) • ***samprajñātaḥ*** = dissolução da mente onde ainda há noção de sujeito e objeto.

A disciplina dupla de *abhyāsa* e *vairāgya* é comparada às duas asas de um pássaro; através dela, os *yogins* fazem o voo do *Yoga* para alcançar seu objetivo, o *samādhi*.

Basicamente podemos dizer que o *samādhi* é o estado de fusão total do indivíduo com o Todo. Não em termos físicos, já que isto já é natural, pois as partes não estão fora do Todo. Mas essa fusão total é em termos de percepção, ela ocorre mesmo enquanto o *yogin* mantém uma percepção da dualidade, *savikalpa-samādhi,* ou quando se afasta da noção de dualidade, *nirvikalpa-samādhi*.

Há outro tipo de *samādhi*, que é *asaṁprajñāta* (sem a noção de sujeito e objeto), antes do *samādhi* final chamado *nirbīja*.

Śrī Patañjali menciona aqui quatro tipos de *samādhi*:

- *vitarka* - aquele *samādhi* que acontece através de um processo de questionamento lógico;
- *vicāra* - aquele *samādhi* que acontece através de análise do que é real e o que é nãorreal;
- *ānanda* - aquele *samādhi* que acontece através da satisfação consigo mesmo;
- *asmitārūpa* - aquele *samādhi* que acontece devido à permanência consigo mesmo.

O *samādhi* é definido como:

samādhīyate yasmin iti samādhiḥ |

Aquilo no qual há dissolução é samādhi.

Samādhi é a capacidade de permanecer em si mesmo, no Eu, no *Ātman*, que é *nirguṇa*, livre de qualquer qualidade.

A mente reduz ou cessa seus movimentos e permanece em sua realidade básica, a Consciência. *Samādhi* é, então, aquele momento no qual a mente permanece em sua causa, sua verdade.

Vários são os instrumentos que podem levar a mente ao *samādhi*, por isso são muitas as denominações do *samādhi*.

Para começar há dois tipos:

- com a percepção da diferença entre sujeito e objeto, *samprajñāta*;
- sem a percepção de si mesmo neste estado especial, *asamprajñāta*.

No texto *Dṛg-dṛśya-vivekaḥ*, a partir do verso 22, vários tipos de *samādhi* são explicados. Este texto, que alguns dizem ter sido escrito por *Śrī Śaṅkara*, apesar de usar outras denominações ao *samādhi* - como *savikalpa* e *nirvikalpa* -, nos ajuda a entender o que *Śrī Patañjali* deseja explicar aqui.

1.18

विरामप्रत्ययाभ्यासपूर्वः संस्कारशेषोऽन्यः ॥

virāmapratyayābhyāsapūrvaḥ saṁskāraśeṣo'nyaḥ ||

Há outro [tipo de samādhi], caracterizado pela presença do resíduo de tendências e precedido por repetições; [este samādhi é chamado de] virāma pratyaya

virāma-pratyaya-abhyāsa-pūrvaḥ = o *virāma-pratyaya* [*samādhi* é] precedido por repetições • ***saṁskāra-śeṣaḥ*** = caracterizado pela presença do resíduo de tendências • ***anyaḥ*** = outro [tipo de *samādhi*]

Neste tipo de *samādhi*, a atividade mental desaparece, mas os *saṁskāras*, as tendências de apego aos objetos, permanecem. Embora haja a suspensão dos pensamentos, não há libertação dos antigos *saṁskāras*. Não se trata de algo positivo nem negativo.

Neste *samādhi*, a mente está calma, não há a noção de "eu", mas tendências do passado permanecem e não permitem a absorção completa na não dualidade.

1.19

भवप्रत्ययो विदेहप्रकृतिलयानाम् ॥

bhavapratyayo videhaprakṛtilayānām ||

Bhavapratyaya [é um tipo de samādhi alcançado] na comunhão com a natureza ou na experiência momentânea de estar livre do corpo.

bhava-pratyayaḥ = nome técnico dado a um *samādhi* • ***videha-prakṛti-layānām*** = na comunhão com a natureza ou na experiência momentânea de estar livre do corpo

Śrī Vyāsa, em seu comentário para este *sūtra*, nos fala que o "*virāma-pratyaya*" pode ser de dois tipos:

- *upāya-pratyaya*;
- *bhava-pratyaya*.

Virāma-pratyaya é o estado intermediário entre *sabīja* e *nirbīja samādhi*. Há uma dissolução, mas mantém-se a presença das tendências mentais adormecidas. *Upāya-pratyaya* ocorre para os *yogins;* enquanto *bhava-pratyaya* ocorre para os chamados *videhin*, aqueles que não se identificam com o corpo, e os *prakṛti-layas*, aqueles que conquistam os elementos da natureza e se dissolvem neles, perdendo a consciência corporal.

A pessoa que alcança o *bhava-pratyaya* pode se iludir com ele e não se esforçar para alcançar o objetivo final, o *nirbīja-samādhi*. Porém, através do que é chamado de *upāya-pratyaya*, os *yogins* se dedicam e se esforçam mais intensamente para atingir o *nirbīja-samādhi*.

1.20

श्रद्धावीर्यस्मृतिसमाधिप्रज्ञापूर्वक इतरेषाम् ॥

śraddhāvīryasmṛtisamādhiprajñāpūrvaka itareṣām ||

Para outros, primeiro [é necessário alcançar] confiança, diligência, poder de memória, absorção, discriminação [para que o asamprajñāta samādhi seja alcançado].

śraddhā-vīrya-smṛti-samādhi-prajñā-pūrvakaḥ = primeiro confiança, diligência, poder de memória, absorção, discriminação • ***itareṣām*** = para outros

Este *sūtra* fala sobre o estado que *Vyāsa* chama de *upāya-pratyaya*, através do qual o *sādhaka*, a pessoa que segue sua disciplina, se esforça até alcançar o *nirbīja-samādhi*.

Asamprajñāta samādhi não é a última etapa a ser alcançada. Então, para aqueles que não alcançaram o *samādhi* final, primeiro devem ser alcançadas outras qualificações importantes, como *śraddhā*, a capacidade de confiar no mestre e no ensinamento; *vīrya*, a força para seguir aquilo em que se confia; *smṛti*, o poder de memória, de reter o ensinamento; *samādhi*, a capacidade de absorção; e *prajñā*, o poder de discriminar entre o real e o nãorreal.

1.21

तीव्रसंवेगानामासन्नः ॥

tīvrasaṁvegānāmāsannaḥ ||

[A aquisição do samādhi está] perto para aqueles que têm um forte desejo pela liberação.

tīvra-saṁvegānām = para aqueles que têm um forte desejo pela liberação • ***āsannaḥ*** = perto

A maior qualificação para a liberação é o desejo por ela, *saṁvega* ou *mumukṣutva*. Conforme diz *Śrī Śaṅkara* no verso 3 de seu texto *Vivekacuḍāmaṇi*:

दुर्लभं त्र्यमेवैतद् देवानुग्रहहेतुकम् ।
मनुष्यत्वं मुमुक्षुत्वं महापुरुषसंश्रयः ॥

durlabhaṁ trayamevaitad devānugrahahetukam ।
manuṣyatvaṁ mumukṣutvaṁ mahāpuruṣasaṁśrayaḥ ॥

Três características são difíceis de serem atingidas e são causadas pela bênção divina: a capacidade humana de discriminação, o desejo pela liberação e a proteção da pessoa que possui conhecimento.

1.22

मृदुमध्याधिमात्रत्वात्ततोऽपि विशेषः ॥

mṛdumadhyādhimātratvāttato'pi viśeṣaḥ ॥

Por ser de natureza suave, média e intensa, há também uma diferença [entre os yogins] como consequência disto.[2]

mṛdu-madhya-adhimātratvāt = por ser de natureza suave, média e intensa • ***tataḥ*** = como consequência disto • ***api*** = também • ***viśeṣaḥ*** = diferença

No comentário de *Vyāsa* para esse *sūtra* são mencionados nove tipos de *yogins* de acordo com a força do desejo pela liberação e o esforço aplicado:

[2] Em algumas coletâneas dos *Yoga Sūtras*, este *sūtra* não aparece.

- os que têm desejo suave podem ser de esforço suave, médio ou intenso;
- os que têm desejo médio podem ser de esforço suave, médio ou intenso;
- os que têm desejo intenso podem ser de esforço suave, médio ou intenso.

- o esforço pode ter forma suave, média ou intensa:
mṛdu-upāya
madhya-upāya
adhimātra-upāya

- o desejo pode ser suave, médio ou intenso:
mṛdu-saṁvega
madhya-saṁvega
tīvra-saṁvega

O desejo pela liberação e o esforço aplicado podem ser suaves, médios ou intensos, mas a liberação estará perto quando o desejo for intenso e o esforço também.

Para aqueles *yogins* que se esforçam intensamente, a aquisição do *nirbīja-samādhi* estará mais perto.

Śrī Patañjali oferece outra opção para a aquisição do _samādhi_ final:

1.23

ईश्वरप्रणिधानाद्वा ॥

īśvarapraṇidhānādvā ||

Ou através da entrega a Īśvara.

īśvara-praṇidhānāt = através da entrega a *Īśvara* • ***vā*** = ou

Citta-vṛtti-nirodha, mencionado no *sūtra* 2, pode ser alcançado através de outro meio, diferente de tudo que já foi dito até aqui. O sábio *Patañjali* nos diz que o conhecimento de *Īśvara* e a consequente entrega a Ele é o meio para a liberação final.

Para começar, qual a natureza de *Īśvara*?

Nos *sūtras* a seguir, explica-se *Īśvara*. Ele é o Todo e a causa de tudo. Difícil de ser pensado ou imaginado, é a partir do entendimento de *jīva*, o indivíduo, que podemos compreender *Īśvara*. *Jīva* possui um corpo manifesto na forma física – além do *prāṇa*, da mente e do intelecto – e um corpo não manifesto, que inclui sua bagagem inconsciente de registros vários – os chamados *saṁskāras* ou *vāsanās* – e sua "conta bancária" de *karma*. O que caracteriza o *jīva* é o *ahaṅkāra*, o ego, na forma de *kartṛ*, o agente da ação, e de *bhoktṛ*, aquele que usufrui do resultado da ação – através de uma sucessão de vários nascimentos e mortes. A base que mantém tudo isso é a ignorância de si mesmo, de quem o *jīva* verdadeiramente é.

Īśvara possui os mesmos corpos físico, sutil e causal, porém sua forma não é individual, mas, sim, total, cósmica. Ele é livre da ignorância acerca de si mesmo, portanto também do ego e do ciclo de nascimento e morte. Ele não é um *saṁsārin*, sujeito à ignorância de sua verdade, a nascimentos e mortes, ao desejo, aos gostos e aversões, às ações e seus resultados, como é o *jīva*.

Īśvara é a causa do universo e, ao mesmo tempo, a manifestação de tudo o que existe, pois a manifestação não é diferente da sua causa; é também a ordem cósmica que mantém tudo em funcionamento.

Īśāvāsyam Upaniṣad, verso 1:

ईशावास्यमिदं सर्वं यत् किञ्च जगत्यां जगत् ॥

īśāvāsyamidaṁ sarvaṁ yat kiñca jagatyām jagat.

Tudo isto que se move no universo deve ser entendido como incluído em Īśvara.

O *yogin* que compreende a natureza de *Īśvara* naturalmente cede sua resistência às leis que governam o universo, faz as ações que devem ser feitas por ele e recebe seus resultados sem sentir-se vítima das circunstâncias.

No universo percebemos várias áreas governadas por leis específicas; as chamamos de ordem física, ordem psicológica, ordem do inconsciente, além da ordem que governa o funcionamento dos elementos da natureza, como o fogo, o ar, as águas, o funcionamento do Sol, da Lua, dos planetas e de tudo no universo, inclusive do meu corpo. Os *Vedas* apreciam também o fato de que o funcionamento de cada área está sob o comando de uma ordem maior, cósmica, que mantém tudo em funcionamento e harmonia. Ao apreciar isto, vemos que fazemos parte do Todo que é o universo, suas leis e sua causa, e em consequência abrimos mão de nossa tendência de exigir que o universo seja de determinada forma, conforme nossos julgamentos. Entendemos que o universo não depende do indivíduo para seu funcionamento, tampouco é governado por uma pessoa a quem podemos chamar de Deus, mas é governado por leis, por uma ordem cósmica, e tudo o que existe é *Īśvara*.

Porém, quando a pessoa não compreende *Īśvara*, ela se vê separada e limitada, e tem medo. O ego, *ahaṅkāra*, quando se vê separado de tudo, isolado e sujeito a tudo ao seu redor, não consegue aceitar os acontecimentos. Mas quando percebe a ordem cósmica única que tudo governa, abre mão de sua resistência na apreciação do Todo, *Īśvara*. A não resistência é a entrega, que é chamada também de *bhakti*. A atitude nas ações, ao fazer o que deve ser feito e receber sem reclamar o resultado de cada ação, que nasce do entendimento de *Īśvara*, é chamada de *karma yoga*.

Além de entrega, *praṇidhāna* significa também meditação. No capítulo 8 da *Bhagavadgītā*, *Śrī Kṛṣṇa* menciona *oṅkāra upāsanā*, uma meditação em *saguṇabrahma*, que é *Īśvara*, através do símbolo *Om*. Meditação, *bhakti* e *karmayoga* compõem o estilo de vida de *Yoga*, ou as disciplinas para o conhecimento de *Īśvara*, que inclui o conhecimento da natureza de *jīva* também.

Nos próximos *sūtras*, do 1.24 até o 28, aprendemos como *Īśvara* deve ser conhecido.

1.24

क्लेशकर्मविपाकाशयैरपरामृष्टः पुरुषविशेष ईश्वरः ॥

kleśakarmavipākāśayairaparāmṛṣṭaḥ puruṣaviśeṣa īśvaraḥ ||

Īśvara é um ser diferente [do indivíduo], totalmente livre de sofrimento, de ação, de resultado de ação e de um reservatório de impressões do passado.

kleśa-karma-vipāka-āśayaiḥ = de sofrimento, de ação, de resultado de ação e de um reservatório de impressões do passado • ***aparāmṛṣṭaḥ*** = totalmente livre • ***puruṣaviśeṣaḥ*** = é um ser diferente (do indivíduo) • ***īśvaraḥ*** = o Todo

Īśvara é a causa do universo e também o efeito, o universo em si, incluindo a inteligência que tudo governa através de leis claras e bem estabelecidas.

O *jīva* tem um ego, uma sensação de separação, de individualidade, e esta é sua característica principal. *Īśvara* não tem ego, é todo o universo físico, sutil e causal e a causa dele, que é o absoluto *Brahman*. Não existe nada separado ou diferente dele para que ele possa se diferenciar; ele é tudo que existe.

1.25

तत्र निरतिशयं सर्वज्ञबीजम् ॥

tatra niratiśayaṁ sarvajñabījam ||

Nele há a incomparável semente de todo conhecimento.

tatra = nele • ***niratiśayam*** = a incomparável • ***sarvajña-bījam*** = semente de todo conhecimento

Īśvara é a mente cósmica que inclui o intelecto, a fonte de todos os pensamentos e conhecimentos possíveis. Por isso ele é chamado de *Hiraṇyagarbha.*

1.26

स पूर्वेषामपि गुरुः कालेनानवच्छेदात् ॥

sa pūrveṣāmapi guruḥ kālenānavacchedāt ||

Ele é também o primeiro mestre devido à ausência da limitação de tempo.

saḥ = ele • ***pūrveṣām*** = o primeiro • ***api*** = também • ***guruḥ*** = o mestre • ***kālena*** = de tempo • ***anavacchedāt*** = devido à ausência de limitação

Tudo no universo está em constante mudança. O tempo não é uma realidade, mas é marcado pela mutabilidade de tudo. Por exemplo, com referência ao Sol, dizemos que o dia amanheceu e depois que veio a noite. Dia e noite são marcados pela mutabilidade da Terra em relação ao Sol.

Īśvara é livre do tempo, não está sujeito à morte, porque ele é sempre presente e nele existe todo o conhecimento, ele é o mestre, o possuidor de todo conhecimento, aquele de quem advém todo conhecimento.

1.27

तस्य वाचकः प्रणवः ॥

tasya vācakaḥ praṇavaḥ ||

Seu nome é Om.

tasya = seu • ***vācakaḥ*** = nome • ***praṇavaḥ*** = *Om*

Īśvara não pode ser determinado por uma palavra qualquer, pois ele é tudo, toda a criação e a causa dela. Então os *Vedas* lhe dão o nome *Om*, que é constituído de três letras (A, U e M) e antecedido e seguido de silêncio. O significado de *Om*, em detalhes, está na *Māṇḍūkya Upaniṣad*.

Através dessa *Upaniṣad* entendemos que *Om* possui três letras e o silêncio como base constante. As três letras representam os três estados de consciência – acordado, sonho e sono profundo – e o chamado quarto estado, que é pura Consciência sempre presente, inclusive nos três mencionados. A pura Consciência é a verdade de *Īśvara* e de *jīva*.

1.28

तज्जपस्तदर्थभावनम् ॥

tajjapastadarthabhāvanam ||

A repetição daquele (Om) [deve ser feita]
apreciando-se seu significado.

tad-japaḥ = a repetição daquele •
tad-artha-bhāvanam = apreciando-se seu significado

O significado de *Om* é compreendido através do estudo das *Upaniṣads*.

Para ser completamente assimilado, é necessária a meditação, pois *Om* é *Brahman*, que é *Ātman*. O processo de meditação vai desde *japa* (a meditação com *mantra* que inclui *Om*) até a contemplação no *Om* que segue o estudo do seu significado, que é a Consciência, presença evidente em cada pensamento e ao mesmo tempo a base do universo.

Este processo de meditação em *Om* é mencionado nos versos 2.2.3,4 da *Muṇḍaka Upaniṣad*.

धनुर्गृहीत्वौपनिषदं महास्त्रं
शरं ह्युपासानिशितं सन्धयीत ।
आयम्य तद्भावगतेन चेतसा
लक्ष्यं तदेवाक्षरं सोम्य विद्धि ॥

dhanurgṛhītvaupaniṣadaṁ mahāstraṁ
śaraṁ hyupāsāniśitaṁ sandhayīta ।
āyamya tadbhāvagatena cetasā
lakṣyaṁ tadevākṣaraṁ somya viddhi ॥

Tomando o arco, que é Om, a grande arma que existe na Upaniṣad, dirigindo a flecha, que é a mente, afiada com meditação, conduza a mente como uma flecha ao objetivo. Saiba, ó Somya!, que aquele objetivo é realmente o Imutável, Brahman.

प्रणवो धनुः शरो ह्यात्मा ब्रह्म तल्लक्ष्यमुच्यते ।
अप्रमत्तेन वेद्धव्यं शरवत्तन्मयो भवेत् ॥

praṇavo dhanuḥ śaro hyātmā brahma tallakṣyamucyate ।
apramattena veddhavyaṁ śaravattanmayo bhavet ॥

O Om é o arco. A mente é mesmo a flecha. Brahman é considerado o alvo. Ele deve ser conhecido sem indiferença. Como a flecha com relação ao alvo, a mente deve se tornar idêntica a Ele.

Om, que é repetido, é visto como um arco. A mente é a flecha. O alvo é o significado de *Om*. A mente torna-se idêntica ao *Om* na meditação, pois o significado da palavra *Om* é a verdade da mente.

Om deve ser repetido sem indiferença, isto é, compreendendo-se seu significado, exatamente como diz também *Śrī Patañjali* neste *sūtra*.

A tradição oral de *Vedānta* diz que *Om* deve ser repetido pelos renunciantes, mas as pessoas que vivem uma vida dentro da sociedade devem repeti-lo como parte de um *mantra*, não somente a palavra *Om*.

1.29

ततः प्रत्यक्चेतनाधिगमोऽप्यन्तरायाभावश्च ॥

tataḥ pratyakcetanādhigamo'pyantarāyābhāvaśca ||

Disso [advém] a ausência de obstáculo e
também a aquisição da mente meditativa.

tataḥ = disso • ***pratyakcetanā-adhigamaḥ*** = a aquisição da mente meditativa • ***api*** = também • ***antarāya-abhāvaḥ*** = ausência de obstáculo • ***ca*** = e

Neste *sūtra* temos a palavra *tataḥ*, disso. "De quê?", seria a pergunta. Se fizermos a conexão com a série de *sūtras* anteriores, teremos: Desse *īśvarapraṇidhāna* (*sūtra* 1.23), da entrega a *Īśvara*. Mas se a conexão for com o *sūtra* imediatamente anterior, 1.28, teremos: Dessa repetição, *japa*, em *Om*. Enfim, não faz muita diferença, os dois resultados mencionados nesse *sūtra* virão quando a pessoa, o *yogin*, trouxer *Īśvara* para sua vida.

Japa, a repetição, e a meditação em *Om* são *sādhanas*, disciplinas muito importantes aconselhadas nos *Vedas*. Para que produzam o efeito desejado - a preparação da mente para o autoconhecimento -, o significado do *Om* deve ser compreendido. O obstáculo principal para o autoconhecimento é a mente despreparada, sem capacidade de questionamento, sem concentração, cheia de apegos físicos e emocionais.

Os dois obstáculos clássicos para a aquisição do autoconhecimento são a reação emocional às situações da vida e a agitação da mente. O primeiro é eliminado por uma vida de *karmayoga*; o segundo, pela meditação.

Śrī Patañjali afirma que, através da meditação em *oṅkāra*, a agitação mental é atenuada e a mente torna-se meditativa. O verso 1.3.12 da *Kaṭha Upaniṣad* fala sobre a importância da mente.

> एष सर्वेषु भूतेषु गूढोऽऽत्मा न प्रकाशते ।
> दृश्यते त्वग्रयया बुद्धया सुक्ष्मया सुक्ष्मदर्शिभिः ॥
>
> *eṣa sarveṣu bhūteṣu gūḍho'tmā na prakāśate* ।
> *dṛśyate tvagryayā buddhayā sukṣmayā sukṣmadarśibhiḥ* ॥
>
> *Este Eu escondido em todos os seres não é conhecido. Porém é conhecido por aqueles que conhecem o mais sutil, com um intelecto sutil e focado.*

A meditação é natural para quem possui a mente meditativa; para quem não a possui, apesar de fechar os olhos e sentar-se adequadamente, a meditação não ocorre!

Alguns obstáculos que devem ser eliminados são listados por *Śrī Patañjali*.

1.30

व्याधिस्त्यानसंशयप्रमादालस्याविरतिभ्रान्ति-
दर्शनालब्धभूमिकत्वानवस्थितत्वानि
चित्तविक्षेपास्तेऽन्तरायाः ॥

vyādhistyānasaṁśayapramādālasyāviratibhrānti-
darśanālabdhabhūmikatvānavasthitatvāni
cittavikṣepāste'ntarāyāḥ ॥

Os obstáculos [que causam] a agitação da mente são: doença, apatia, dúvida, falta de atenção, preguiça, falta de renúncia, visão errada, falta de capacidade de manter o que alcançou, falta de continuidade.

vyādhi-styāna-saṁśaya-pramāda-ālasya-avirati-
-bhrānti-darśana-alabdha-bhūmikatva-anavasthitatvāni =
doença, apatia, falta de atenção, preguiça, falta de renúncia,
visão errada, falta de capacidade de manter o que alcançou,
falta de continuidade • ***citta-vikṣepāh*** = agitação da mente
• ***te*** = os • ***antarāyāḥ*** = obstáculos [que causam]

A mente deve estar relativamente livre de obstáculos; neste *sūtra* são mencionados alguns fatores que agitam a mente.

1.31

दुःखदौर्मनस्याङ्गमेजयत्वश्वसप्रश्वासा विक्षेपसहभुवः ॥

duḥkhadaurmanasyāṅgamejayatvaśvāsapraśvāsā
vikṣepasahabhuvaḥ ||

Os fatores que colaboram para a agitação [da mente] são:
tristeza, disposição negativa da mente, agitação do
corpo e respiração irregular.

duḥkha-daurmanasya-aṅgamejayatva-śvāsapraśvāsāḥ =
tristeza, disposição negativa da mente, agitação do corpo,
respiração irregular • ***vikṣepa-sahabhuvaḥ*** = fatores que
colaboram para a agitação

Os fatores mencionados aqui colaboram para a agitação da mente. A mente agitada chama-se *vikṣipta-citta*, em oposição a *samāhita-citta*, a mente aquietada ou concentrada, que mais adiante, no *sūtra* 1.33, será chamada de *citta-prasādana*.

1.32

तत्प्रतिषेधार्थमेकतत्त्वाभ्यासः ॥

tatpratiṣedhārthamekatattvābhyāsaḥ ||

A repetição da verdade única serve para eliminar esses [obstáculos para a aquisição da mente tranquila].

tat-pratiṣedha-artham = para eliminar esses • ***eka-tattva-abhyāsaḥ*** = a repetição da verdade única

Abhyāsa, a repetição, significa continuidade, de novo e de novo; continuamente escutar o ensinamento que versa sobre a identidade entre o indivíduo e o Todo, refletir e meditar sobre o que foi escutado até que seja completamente compreendido e assimilado.

Eka-tattva, a verdade única, é *Puruṣa*, *Brahman*, a verdade de *jīva* e *Īśvara*. A mente mantida nesta verdade impede que esses obstáculos sejam capazes de agitar a mente.

1.33

मैत्रीकरुणामुदितोपेक्षाणां
सुखदुःखपुण्यापुण्यविषयाणां
भावनातश्चित्तप्रसादनम् ॥

maitrīkaruṇāmuditopekṣāṇāṁ
sukhaduḥkhapuṇyāpuṇyaviṣayāṇāṁ
bhāvanātaścittaprasādanam ||

A tranquilidade da mente vem da atitude de simpatia, compaixão, satisfação e paciência com relação a situações de alegria, sofrimento, mérito e demérito.

maitrī-karuṇā-mudita-upekṣāṇām = de simpatia, compaixão, satisfação, paciência • ***sukha-duḥkha-puṇya-apuṇyaviṣayāṇām*** = com relação a situações de alegria, sofrimento, mérito e demérito • ***bhāvanātaḥ*** = vem da atitude • ***citta-prasādanam*** = a tranquilidade da mente

No *sūtra* 1.32, *Śrī Patañjali* menciona a necessidade de eliminar os obstáculos para que a mente se torne meditativa. Alguns desses são mencionados nos *sūtras* 1.30 e 31.

O método já mencionado para lidar com a mente é *abhyāsa* e *vairāgya*, *sūtra* 1.12.

Abhyāsa, que é a repetição, é parte da meditação, seja *japa*, a repetição de um *mantra*, ou a contemplação, *sūtra* 1.32.

O oposto de *citta-vikṣepa* (a agitação da mente) que aparece no *sūtra* 1.30, é *citta-prasādana* (tranquilidade da mente), que é descrita aqui.

Patañjali diz aqui que é necessário ter simpatia em relação à alegria alcançada pelo outro; compaixão em relação ao sofrimento dos outros; satisfação com o mérito alcançado por alguém; e paciência com os que têm tendência ao demérito. Nos *sūtras* 1.34 ao 39, são mencionadas algumas alternativas para a eliminação da agitação mental.

Citta-prasādana é a mente clara e tranquila, livre de agitação e de reatividade em relação a pessoas e situações.

Frente a algo alegre ou agradável que outra pessoa está vivendo e lhe traz satisfação, a mente do *yogin* deve ter solidariedade em vez de inveja. Frente a algo triste, uma situação de sofrimento pela qual alguém passa, a mente do *yogin* deve ter compaixão, em vez de tentar tirar vantagem da situação ou da pessoa que está triste. Frente a algo virtuoso, a mente deve ter satisfação, não ciúme. Frente a algo não virtuoso, a mente deve ser compreensiva, não depreciativa.

Com esse exercício, de trazer o pensamento oposto à reação negativa imediata, chamado de *pratipakṣa-bhāvanā*, a mente alcança tranquilidade. Porém sabemos que, quando a pessoa está a sofrer e vê o sucesso e a satisfação dos outros, a tristeza, a inveja e o ciúme são naturais.

Para eliminar a agitação da mente, *citta-vikṣepa*, e alcançar a tranquilidade da mente, *citta-prasādana*, são oferecidas alternativas nos *sūtras* a seguir, do 34 ao 39.

1.34

प्रच्छर्दनविधारणाभ्यां वा प्राणस्य ॥

pracchardanavidhāraṇābhyāṁ vā prāṇasya ||

Ou através da expiração e retenção da respiração.

pracchardana-vidhāraṇābhyāṁ = através da expiração e retenção • ***vā*** = ou • ***prāṇasya*** = da respiração

Patañjali apresenta alternativas para eliminar *citta-vikṣepa* e alcançar *citta-prasādana*, a mente clara e tranquila. *Prāṇāyāma* pode ser feito como meditação, não para o corpo, mas para aquietar a mente.

A prática, por algum tempo, de *prāṇāyāma,* que inclui vários exercícios de inspiração, exalação vagarosa e retenção do ar dentro e fora dos pulmões, ajuda a mente a relaxar e alcançar a absorção. Essa prática deve ser feita cuidadosa e lentamente, sem forçar. Percebe-se que existe uma relação direta entre a mente e a respiração; quando um se agita, o outro também logo se torna agitado; o contrário também é verdadeiro, a aquietação de um leva à aquietação do outro.

Śrī Ramaṇa Maharṣi, no seu *Upadeśa-sāraṁ*, *A essência do ensinamento*, versos 11 e 12, menciona também a conexão entre a respiração e a mente.

वायुरोधनल्लियते मनः जालपक्षिवद्रोधसाधनम् ॥
vāyurodhanalliyate manaḥ jālapakṣivadrodhasādhanam ||
A mente torna-se absorta através da disciplina de respiração; este é o meio para controlar a mente, assim como a rede para um pássaro.

चित्तवायवश्चित्क्रियायुताः शाखयोर्द्वयी शक्तिमूलका ॥
cittavāyavaścitkriyāyutāḥ śākhayordvayī śaktimūlakā ||
A mente e a respiração estão relacionadas com conhecimento e ação. Esse par de galhos têm como raiz o poder de criação.

Quando aquietar a mente é difícil para alguém, essa pessoa pode se conscientizar da respiração e aquietá-la e perceber que a mente será aquietada devido à relação que existe entre a mente e a respiração.

1.35

विषयवती वा प्रवृत्तिरुत्पन्ना मनसः स्थितिनिबन्धनी ॥
viṣayavatī vā pravṛttirutpannā manasaḥ sthitinibandhanī ||
Ou a contemplação em um objeto produz a base para a firmeza da mente.

viṣayavatī = em um objeto • ***vā*** = ou • ***pravṛttiḥ*** = a contemplação • ***utpannā*** = produz • ***manasaḥ*** = da mente • ***sthiti-nibandhanī*** = a base para a firmeza

Manasaḥ sthiti, a firmeza da mente, pode ser alcançada não só com a ajuda do foco do exercício de *prāṇāyāma*, mas também pelo foco em um objeto. Através desse exercício percebemos quanto a mente pula de objeto em objeto, mas aprendemos também a focar em um objeto, deixando os outros de lado - como em *japa*, na repetição de um *mantra*, em que a mente é levada repetidas vezes de volta ao *mantra* imediatamente após sua distração.

Também o foco dos sentidos em determinado objeto é útil para se alcançar a tranquilidade da mente. A mente aprende a focar melhor.

1.36

विशोका वा ज्योतिष्मती ॥

viśokā vā jyotiṣmatī ||

Ou [a firmeza da mente vem da contemplação na] luz que é livre de sofrimento.

viśokā = que é livre de sofrimento • ***vā*** = ou • ***jyotiṣmatī*** = luz

Aqui podemos acrescentar a palavra *pravṛttiḥ*, do *sūtra* 1.35, que é feminina e significa repetição, movimento deliberado, significando também contemplação. Nesta contemplação, a mente deliberadamente foca a luz da Consciência, que é livre de qualquer sofrimento e é a base da mente.

1.37

वीतरागविषयं वा चित्तम् ॥

vītarāgaviṣayaṁ vā cittam ||

Ou [a tranquilidade é descoberta numa] mente livre de objetos de desejo.

vīta-rāga-viṣayaṁ = livre de objetos de desejo • ***vā*** = ou • ***cittam*** = mente

Aqui *Patañjali* menciona que *citta-prasādana*, a tranquilidade da mente, é alcançada pela mente que está livre de objetos de desejo.

A mente agitada pelos objetos de desejo naturalmente oscila entre um objeto e outro, entre o que fazer e o que não fazer. Quando o *yogin* aprecia a limitação dos objetos e a incapacidade deles em fazer alguém feliz, ocorre naturalmente um desapego com relação ao desejo por objetos e é então que aparece a tranquilidade.

1.38

स्वप्ननिद्राज्ञानालम्बनं वा ॥

svapnanidrājñānālambanaṁ vā ||

Ou [a tranquilidade da mente é descoberta pela contemplação na] base dos estados de sonho, sono profundo e acordado.

svapna-nidrā-jñāna-alambanaṁ = base dos estados de sonho, sono profundo e acordado • ***vā*** = ou

A mente é caracterizada pela experiência dos estados de acordado, *jñāna*, sonho, *svapna*, e sono profundo, *nidrā*. Apesar da diferença e da alternância constante entre esses três, há uma base que é constante, que não muda. Esta base aqui é referida pela palavra *ālambana*, um suporte imutável para as mudanças.

Esse suporte é a Consciência livre do tempo e do espaço, da qual os três estados dependem. Quando o foco da mente é o mutável, ela permanece agitada; quando o foco maior é o imutável e sempre presente, a luz da Consciência, a mente alcança a tranquilidade.

1.39

यथाभिमतध्यानाद्वा ॥

yathābhimatadhyānādvā ||

Ou [a tranquilidade da mente vem] da meditação naquilo que é amado.

yathā-abhimata-dhyānāt = da meditação naquilo que é amado • ***vā*** = ou

Ao pensar em um objeto amado, na possível união com ele e na presença dele, a mente encontra satisfação e para de oscilar. O objeto amado traz tranquilidade à mente.

Com o questionamento de *Vedānta* sobre a realidade do eu e dos objetos, a mente entende a limitação destes e descobre que o Eu básico, que é livre de limitação, é a fonte de toda satisfação, não os objetos. O Eu é a fonte de todo amor, pois é *ānanda-svarūpa*, é completo e pleno.

O que é amado por todos é a felicidade, e a fonte da felicidade é o Eu, não os objetos, que são mutáveis e limitados.

A felicidade, que é a completude, sendo livre de carência, não pode ser causada por algo limitado por natureza, como os objetos. O Eu eterno e livre de limitação é a fonte de felicidade. Então a mente se aquieta na meditação de algo amado e depois descobre que a fonte do amor é o Eu ilimitado.

Os *sūtras* 1.33 a 1.39 também podem ser considerados instruções para contemplações ou meditações, cujo resultado é mencionado:

1.40

परमाणुपरममहत्त्वान्तोऽस्य वशीकारः ॥

paramāṇuparamamahattvānto'sya vaśīkāraḥ ||

O comando dela (da mente) [capacita a pessoa a ir] desde a menor partícula até o maior tamanho.

parama-aṇu-parama-mahattva-antaḥ = desde a menor partícula até o maior tamanho • ***asya*** = dela (da mente) • ***vaśīkāraḥ*** = o comando

Śrī Patañjali, com este *sūtra*, nos diz que, através das contemplações mencionadas nos *sūtras* 1.33 a 39, a mente alcança tranquilidade e, além disso, uma sutileza com a qual pode penetrar nas coisas mais sutis e também em todo o universo, no pequeno e no grande.

O comando da mente confere ao *yogin* a capacidade de dominar o mundo e também seu corpo; livra o *yogin* da limitação que parece ser criada por seu corpo e pelos objetos do mundo. O *yogin* torna-se senhor de si mesmo, independente.

Quando a tranquilidade da mente é alcançada, o que acontece a seguir?

1.41

क्षीणवृत्तेरभिजातस्येव मणेर्ग्रहीतृग्रहणग्राह्येषु
तत्स्थतदञ्जनता समापत्तिः ॥

kṣīṇavṛtterabhijātasyeva maṇergrahītṛgrahaṇagrāhyeṣu
tatsthatadañjanatā samāpattiḥ ||

O pensar sendo eliminado, [a mente] assume a forma daquela (Consciência) na qual estão estabelecidos aquele que percebe, a percepção e o que é percebido; assim como um cristal transparente – [isso é] samāpatti, a absorção total.

kṣīṇavṛtteḥ = o pensar sendo eliminado • ***abhijātasya*** = transparente • ***iva*** = assim como • ***maṇeḥ*** = um cristal • ***grahītṛ-grahaṇa-grāhyeṣu*** = aquele que percebe, a percepção e o que é percebido • ***tat-stha-tad-añjanatā*** = assume a forma daquela na qual estão estabelecidos • ***samāpattiḥ*** = a absorção total

Este *sūtra* introduz a palavra *samāpatti*. Esta palavra, que significa absorção total, tem os prefixos *sam* e *ā* seguidos de *patti*, que vem da raiz verbal *pad*. A meditação, *dhyāna*, possui um objeto, *dhyeya-viṣaya*. Em *samāpatti*, o sujeito, *dhyātṛ*, e o objeto, *dhyeya*, desaparecem; no lugar de ambos está somente a pura Consciência.

O objetivo final do *Yoga* é o *samādhi*, e o mestre *Patañjali* nos fala também sobre o processo até chegarmos a ele. Esses estágios, até o *samādhi* final, são chamados de *samāpatti*.

Ao eliminar os pensamentos de meditador, objeto meditado e meditação, a mente assume a forma de pura Consciência.

A base dos pensamentos é a Consciência, que é *Puruṣa*. Quando os pensamentos se aquietam, a mente permanece em sua base, Consciência.

O mestre *Patañjali* apresenta quatro tipos de *samāpatti*. Estes são: *savitarkā samāpatti*, *nirvitarkā samāpatti*, *savicārā samāpatti* e *nirvicārā samāpatti*.

Os dois primeiros estão relacionados aos objetos tangíveis, e os outros dois, aos objetos sutis.

Os quatro tipos de *samāpatti* são descritos nos *sūtras* 1.42 a 44:

1.42

तत्र शब्दार्थज्ञानविकल्पैः सङ्कीर्णा
सवितर्का समापत्तिः ॥

tatra śabdārthajñānavikalpaiḥ saṅkīrṇā savitarkā samāpattiḥ ||

Naquele (estado), quando há uma mistura entre as ideias do objeto, o nome e o conhecimento do objeto, há savitarkā samāpatti.

tatra = naquele (estado) • ***śabda-artha-jñāna-vikalpaiḥ*** = nas ideias do objeto, o nome e o conhecimento do objeto • ***saṅkīrṇā*** = uma mistura • ***savitarkā*** = acompanhada de questionamento • ***samāpattiḥ*** = absorção

Entre os tipos de *samāpatti*, *savitarkā samāpatti* é um estado no qual se misturam a palavra, o significado da palavra - que é o objeto - e os conceitos ou as percepções do objeto. Quando esses se misturam, desaparece então a diferença entre eles; o objeto percebido e o conceito sobre ele se dissolvem no sujeito que o percebe, todos desaparecem, e temos então *samāpatti*.

1.43

स्मृतिपरिशुद्धौ स्वरूपशून्येवार्थमात्रनिर्भासा निर्वितर्का ॥

smṛtipariśuddhau svarūpaśūnyevārthamātranirbhāsā nirvitarkā ||

Quando a mente está purificada [livre do fluxo de pensamentos], como que livre de sua natureza [de refletir os objetos], iluminando [seu] próprio significado, há nirvitarkā [samāpatti].

smṛti-pariśuddhau = quando a mente está purificada • ***svarūpa-śūnyā*** = livre de sua natureza • ***iva*** = como que • ***artha-mātra-nirbhāsā*** = iluminando o próprio significado • ***nirvitarkā*** = sem análise ou percepções

A mente, *antaḥkaraṇa*, é chamada aqui de *smṛti*, pois o mestre *Patañjali* quer enfatizar a inclusão da memória dos objetos experienciados no passado. O momento mencionado é quando objetos externos não são objetificados, as memórias de objetos já experienciados desaparecem e a mente ilumina seu conteúdo livre de objetos, sem o fluxo do pensar por associação lógica. Neste momento, há *nirvitarkā samāpatti* - a mente permanece em sua natureza de pura Consciência.

As denominações das *samāpattis* são diferentes devido ao processo específico que conduz ao momento final; mas o momento de *samāpatti*, o momento de absorção do objeto e do sujeito, é o mesmo sempre.

1.44

एतयैव सविचारा निर्विचारा
च सूक्ष्मविषया व्याख्याता ॥

etayaiva savicārā nirvicārā ca sūkṣmaviṣayā vyākhyātā ||

Da mesma maneira, [samāpatti] é descrita com relação aos objetos sutis [e é de dois tipos] - savicārā e nirvicārā.

etayā eva = da mesma maneira • ***savicārā*** = com questionamento, com pensar • ***nirvicārā*** = sem questionamento, sem pensar • ***ca*** = e • ***sūkṣma-viṣayā*** = com relação aos objetos sutis • ***vyākhyātā*** = é descrita

Samāpatti também pode ser alcançada pela reflexão da mente sobre conceitos sutis, que não podem ser percebidos pelos sentidos - como os elementos sutis, o tempo, o espaço, os três *guṇas*, ou qualidades básicas da natureza - ou quando a mente vai além do processo lógico do pensar e refletir e se aquieta.

Em *savicārā samāpatti*, a mente pensante está concentrada nos objetos sutis e em seus significados, e a partir deste pensar alcança uma dissolução.

Em *nirvicārā samāpatti*, a mente consegue parar seu processo de pensar nos objetos sutis e alcança uma dissolução.

Por fim, no *sūtra* 1.46, *Patañjali* diz que os quatro tipos, mencionados nos *sūtras* 1.42-44 levam o nome de *sabīja samādhi*.

1.45

सूक्ष्मविषयत्वं चालिङ्गपर्यवसानम् ॥

sūkṣmaviṣayatvaṁ cāliṅgaparyavasānam ||

E o estado mais sutil [da mente] completa-se no sem forma.

sūkṣma-viṣayatvam = o estado mais sutil • ***ca*** = e • ***aliṅga-paryavasānam***= completa-se no sem forma

O "sem forma" mencionado neste *sūtra* é *mahat*, que é a totalidade do não manifesto, também chamada de *avyakta*.

Como em *upāsanās* mencionadas nas *Upaniṣads*, como no primeiro capítulo da *Taittirīya Upaniṣad*, a mente individual deve ser percebida como não separada da mente cósmica ou total; tanto em seu aspecto manifesto como no não manifesto.

Neste momento final de meditação, o *yogin* consegue perceber que sua própria mente faz parte da mente cósmica, e ele não se vê mais como separado. A mente individual se torna parte da mente total na compreensão do *yogin* e há, então, tranquilidade para ele.

1.46

ता एव सबीजः समाधिः ॥

tā eva sabījaḥ samādhiḥ ||

Estes são realmente sabīja samādhi.

tāḥ = estes são • ***eva*** = realmente • ***sabījaḥ*** = com semente • ***samādhiḥ*** = absorção

Todos esses quatro tipos de *samāpatti* - *savitarka, nirvitarka, savicāra* e *nirvicāra* - mantêm uma semente, e por isso são chamados de *sabīja samādhi*. A semente, ou *bīja*, é a identidade do indivíduo, o conceito de "eu" diferente do universo.

Savitarka e *nirvitarka* relacionam-se com o objeto denso; *savicāra* e *nirvicāra*, com objetos sutis.

Samādhi é o estado de absorção da mente. Pode ser uma experiência momentânea de dissolução da dualidade, que depois volta. É, então, chamado de *sabīja*, "com semente", pois mantém a semente da ignorância com relação ao Eu e o apego ao *ahaṅkāra*, o ego. *Sabīja* se opõe a *nirbīja*, onde a semente do ego desaparece.

1.47

निर्विचारवैशारद्येऽध्यात्मप्रसादः ॥

nirvicāravaiśāradye'dhyātmaprasādaḥ ||

Na capacidade de estar em nirvicāra [samāpatti],
a tranquilidade da mente [é alcançada].

nirvicāra-vaiśāradye = na capacidade de estar em *nirvicāra* • ***adhyātma-prasādaḥ*** = a tranquilidade da mente

Quando a mente domina a capacidade de estar livre de oscilações, ela alcança tranquilidade. A tranquilidade é a natureza do Eu.

A *samāpatti* denominada de *nirvicārā* é a última mencionada; neste estado a mente está aquietada, livre do processo da oscilação de pensamentos. Por isso, *Śrī Patañjali* diz que, como consequência, há tranquilidade.

Śrī Kṛṣṇa diz, no verso 2.65 da *Bhagavadgītā*, que a tranquilidade da mente permite que a pessoa adquira clareza com relação ao autoconhecimento.

Prasāda, ou *prasannatā*, tranquilidade, é mencionada por *Śrī Kṛṣṇa*, no verso 2.64 da *Gītā*. Nos dois versos anteriores, *Kṛṣṇa* menciona o que acontece quando a mente medita nos objetos de desejo. Depois, no verso 2.64, ele nos fala sobre a pessoa que tem a mente sob seu comando, *vidheyātmā*, aquele que experiencia os muitos objetos dos sentidos, sem apego a eles, e alcança tranquilidade. *Śrī Śaṅkara*, em seu comentário a este verso, diz que a tranquilidade é uma satisfação em si mesma, *prasannatā*, que independe dos objetos, *svāsthyam*.

Bhagavadgītā 2.62,63,64

ध्यायतो विषयान् पुंसः सङ्गस्तेषूपजायते ।
सङ्गात्सञ्जायते कामः कामात्क्रोधोऽभिजायते ॥

dhyāyato viṣayān puṁsaḥ saṅgasteṣūpajāyate |
saṅgātsañjāyate kāmaḥ kāmātkrodho'bhijāyate ||

O apego aos objetos nasce para a pessoa que medita neles.
Do apego, vem o desejo. Do desejo, nasce a raiva.

क्रोधाद्भवति सम्मोहः सम्मोहात्स्मृतिविभ्रमः ।
स्मृतिभ्रंशाद्बुद्धिनाशो बुद्धिनाशात्प्रणश्यति ॥

krodhādbhavati sammohaḥ sammohātsmṛtivibhramaḥ |
smṛtibhraṁśādbuddhināśo buddhināśātpraṇaśyati ||

Da raiva, surge a ilusão mental. Por causa desta ilusão, há a falha da memória. Com a perda da memória, há a incapacitação do intelecto. Com a incapacitação do intelecto, [a pessoa] é destruída.

रागद्वेषवियुक्तैस्तु विषयानिन्द्रियैश्चरन् ।
आत्मवश्यैर्विधेयात्मा प्रसादमधिगच्छति ॥

rāgadveṣaviyuktaistu viṣayānindriyaiścaran |
ātmavaśyairvidheyātmā prasādamadhigacchati ||
Enquanto aquele cuja mente foi disciplinada, que se move entre os objetos com os órgãos dos sentidos sob seu comando, livre dos gostos e aversões, alcança a tranquilidade.

Por fim,

1.48

ऋतम्भरा तत्र प्रज्ञा ॥

ṛtambharā tatra prajñā ||

Lá (no adhyātma-prasāde, na tranquilidade da mente), há o conhecimento que carrega a verdade.

ṛtambharā = que carrega a verdade • ***tatra*** = lá • ***prajñā*** = o conhecimento

Então, neste momento em que há tranquilidade, *adhyātma-prasāda*, sobrevém um estado chamado de *ṛtambharā*.

O termo *ṛtambharā* adjetiva *prajñā*, que significa conhecimento ou percepção. *Bharā* (da raiz *bhṛ*) é o que dá suporte, *ṛtam* significa a verdade; *ṛtambharā* é então a percepção que carrega a verdade sobre o sujeito, um conhecimento livre de erro.

Patañjali deseja, com esses *sūtras*, nos dar detalhes sobre o processo pelo qual a mente de um *yogin* passa pelas disciplinas propostas pelo *Yoga*.

1.49

श्रुतानुमानप्रज्ञाभ्यामन्यविषया विशेषार्थत्वात् ॥

śrutānumānaprajñābhyāmanyaviṣayā viśeṣārthatvāt ||

[O conhecimento chamado ṛtambharā prajñā] tem um objeto diferente do escutado e inferido; pois [ṛtambharā prajñā] tem algo específico como objeto.

śruta-anumāna-prajñābhyām = do escutado e inferido • ***anyaviṣayā*** = tem um objeto diferente • ***viśeṣa-arthatvāt*** = pois tem algo específico como objeto

O conhecimento comum dos objetos vem da percepção, da inferência e de palavras escutadas. A percepção depende dos sentidos e a inferência depende dos sentidos e de conclusões a partir da percepção. As palavras dão informação sobre objetos que estão distantes, não disponíveis para os sentidos. O conhecimento chamado de *ṛtambharā prajñā* é diferente da percepção, da lógica e da percepção indireta que vem das palavras, pois o objeto deste conhecimento é o próprio sujeito.

1.50

तज्जः संस्कारोऽन्यसंस्कारप्रतिबन्धी ॥

tajjaḥ saṁskāro'nyasaṁskārapratibandhī ||

O saṁskāra que nasce daquela [ṛtambharā prajñā, o conhecimento que carrega a verdade do sujeito] se opõe aos outros saṁskāras (as tendências anteriores ao conhecimento claro do Eu).

tad-jaḥ = que nasce daquela • ***saṁskāraḥ*** = a tendência • ***anya-saṁskāra-pratibandhī*** = se opõe aos outros *saṁskāras*

A palavra *saṁskāra*, tendência, significa aquilo que não está manifesto, evidente. Esta palavra foi mencionada no *sūtra* 1.18.

Saṁskāras, ou *vāsanās*, estão não manifestos, em estado sutil, guardados na mente, como uma memória que pode ser acessada.

A palavra "inconsciente" é usada com referência a uma *vāsanā* ou a um *saṁskāra* que está na mente, que pertence ao chamado *sūkṣma-śarīra*, corpo sutil. Também é usada com referência ao *avyakta*, o não manifesto, que não se manifestou ainda (nem física nem sutilmente) e está no *kāraṇa-śarīra*, corpo causal, e por isso não por ser acessado até que se manifeste.

As palavras em sânscrito oferecem maior clareza aos conceitos. O que está na mente está manifesto para a pessoa, apesar de não momentaneamente claro, como uma memória. O que está no corpo causal está totalmente oculto, não manifesto.

Saṁskāra é o que impulsiona a pessoa a realizar, sem escolha, determinada ação. Para ultrapassar uma tendência, deve haver um valor por seu oposto ou diferente e um esforço na direção da mudança. As tendências são positivas ou negativas, seguem o *dharma* ou não, e podem conduzir à liberação ou ao aprisionamento aos objetos. As tendências se manifestam na forma de desejo por algo, e o desejo é poderoso. *Arjuna* pergunta sobre isto no verso 36 do capítulo 3 da *Bhagavadgītā.*

अर्जुन उवाच
अथ केन प्रयुक्तोऽयं पापं चरति पूरुषः ।
अनिच्छन्नपि वार्ष्णेय बलादिव नियोजितः ॥

arjuna uvāca
atha kena prayukto'yaṁ pāpaṁ carati pūruṣaḥ |
anicchannapi vārṣṇeya balādiva niyojitaḥ ||

Arjuna disse:

– Então, ó Vārṣṇeya [Kṛṣṇa], mesmo não desejando, como que dirigida por uma força, impulsionada pelo que uma pessoa executa pāpa, uma ação que não deveria fazer?

No verso seguinte, *Kṛṣṇa* diz que o desejo é realmente poderoso. É ele que assume a forma de raiva, de ciúme, de inveja, de competição.

श्रीभगवानुवाच
काम एष क्रोध एष रजोगुणसमुद्भवः ।
महाशनो महापाप्मा विद्ध्येनमिह वैरिणम् ॥

śrībhagavānuvāca
kāma eṣa krodha eṣa rajoguṇasamudbhavaḥ ।
mahāśano mahāpāpmā viddhyenamiha vairiṇam ॥

O Senhor *Kṛṣṇa* disse:

– Este é o desejo, esta é a raiva, nascidos do guṇa rajas, da qualidade de movimento da natureza. Saiba que, aqui neste mundo, este é o inimigo, o grande devorador e realizador de pāpa.

As tendências para a tranquilidade da mente e para a liberação, tanto quanto para o *Yoga* e para o *dharma*, devem tomar o lugar daquelas que são contrárias a esses, daquelas que acolhem o *adharma*.

As tendências são também chamadas de *vāsanās* e qualificadas como *śuddhā* e *malinā*, puras ou impuras. A tendência pura é a do sábio que eliminou a ignorância do Eu e vê o *ahaṅkāra*, o ego, como o falso eu, ou o eu não real.

A *vāsanā* impura é de três tipos, *trividhā*:

– *loka-vāsanā*, o desejo por fama, reconhecimento ou por uma vida melhor depois da morte;

- *śāstra-vāsanā*, o desejo por conhecer mais e mais e ter muitos alunos;
- *deha-vāsanā*, o desejo por um tipo de corpo que seja perfeito e a presença dos objetos que satisfaçam a pessoa.

As *vāsanās* impuras devem ser eliminadas; as *vāsanās* puras não afetam o *yogin*.

Com o estabelecimento do conhecimento claro do que é o Eu real, há uma nova maneira de olhar para si mesmo e para o universo. Essa nova forma de ver as realidades absoluta e relativa cria um hábito diferente que se opõe aos antigos, que pertencem à ignorância. *Anya-saṁskāras* são as outras tendências, as novas, que nascem com a discriminação e o autoconhecimento.

Os hábitos antigos nascidos da ignorância dão lugar aos hábitos novos, que nascem do conhecimento. Os hábitos novos são caracterizados pelo questionamento da realidade da mente e de seus conteúdos, da realidade dos objetos e do ego, e pela visão do mundo relativo como não real e de *Puruṣa* como o verdadeiro Eu.

1.51

तस्यापि निरोधे सर्वनिरोधान्निर्बीजः समाधिः ॥

tasyāpi nirodhe sarvanirodhānnirbījaḥ samādhiḥ ||

Na eliminação desta (tendência) também,
devido à eliminação de tudo, há o nirbīja-samādhi
(absorção sem semente).

tasya = desta • ***api*** = também • ***nirodhe*** = na eliminação
sarva-nirodhāt = devido à eliminação de tudo
nirbījaḥ samādhiḥ = absorção sem semente

A tendência que se opôs às outras antigas, que foi mencionada no *sūtra* anterior, refere-se à tendência pela busca da liberação. Enquanto existir até mesmo essa tendência, existirá um desejo forte, o desejo de ser livre do desejo!

A tradição oral diz:

येन (अहंकारेण) त्यज्यसि तत् त्यज ।

yena (ahaṅkāreṇa) tyajyasi tat tyaja ।
Aquilo através do qual você tudo renuncia,
(isto é, o ego) renuncie a este!

Śrī Śankara, no verso 12.13 de seu texto *Upadeśa-sāhasri*, diz:

ब्रह्मवित्त्वं तथा मुक्त्वा स आत्मज्ञः न च इतरः ।
Brahmavittvam tathā muktvā sa ātmajñaḥ na ca itaraḥ.
Tendo abandonado também o orgulho de ser conhecedor de Brahman, esta pessoa é sábia, e não outra.

Por fim, completando este capítulo, que é chamado de *Samādhi Pāda*, *Patañjali* explica o *nirbīja samādhi*. Primeiro ele descreveu o *sabīja samādhi* (1.46); agora é a vez do *nirbīja,* o *samādhi* sem semente de ignorância, pois esta foi finalmente eliminada através do conhecimento claro.

Com o conhecimento do Eu que é *Brahman*, o *ahaṅkāra*, o ego, é visto como o falso eu. Desaparece o eu que procurava ser perfeito e reconhecido como tal pelos outros, e até mesmo o pensamento "eliminei todos os pensamentos" desaparece. Desaparece também o esforço de manter o conhecimento sempre presente na mente.

A "eliminação de tudo" mencionada aqui é a eliminação da realidade do universo como absoluta. Sem entender o Absoluto, o universo é considerado absoluto, e o absoluto *Brahman* não é percebido, é como se ele fosse não existente.

O esforço para corrigir a visão equivocada da realidade não é mais necessário, pois o conhecimento do Absoluto é muito claro e natural.

Os hábitos nascidos da ignorância – como a identidade do eu com o corpo e a mente – são apreciados como falsos e deixam de causar problemas.

O *nirbīja samādhi* não é só um momento em que os pensamentos desaparecem; é o estado da mente em que há clareza do conhecimento da realidade e em que a ignorância, semente dos sofrimentos, foi eliminada.

द्वितीयोऽध्यायः

dvitīyo'dhyāyaḥ

SEGUNDO CAPÍTULO

साधनपादः

sādhana-pādaḥ

O MEIO

O segundo capítulo discorre sobre o meio, ou instrumento, para a liberação, que inclui a aquisição de certas qualificações e a realização de determinadas disciplinas ou práticas que compõem o estilo de vida chamado de *Yoga*. É aqui que *Śrī Patañjali* apresenta e descreve o *aṣṭāṅga*, os oito membros do *Yoga*. *Aṅga* é um membro, como um braço ou uma perna de um corpo; todos são importantes; não são etapas a serem seguidas e ultrapassadas. Todas devem ser vividas simultaneamente, diariamente. O capítulo é dedicado aos *yogins* e às *sādhanas*, as disciplinas que devem compor suas vidas, além dos possíveis resultados que podem advir. O resultado mais importante é a disciplina da mente, o comando sobre ela, e os resultados secundários podem ser muitos.

Aqui *Śrī Patañjali* também apresenta um método específico, assim como *Śrī Kṛṣṇa* no capítulo 6 da *Bhagavadgītā*. O método para lidar com a mente é *abhyāsa*, a repetição, e *vairāgya*, a renúncia.

Neste capítulo o mestre *Patañjali* considera os muitos *yogins* que concentram seus esforços na capacitação da mente, que ainda não se sentem preparados para o estudo aguçado de *Vedānta*, mas são sinceros e dedicados.

Os *Vedas* apresentam duas *sādhanas*, meios ou disciplinas, para a liberação. Uma é *mukhya-sādhana*, o meio principal e direto, que é o conhecimento do Eu, através da escuta do ensinamento, da reflexão sobre o que foi escutado e da contemplação sobre o que foi analisado. *Avāntara-sādhana*, o meio secundário, é a preparação da mente para a aquisição do conhecimento. Duas são as qualificações necessárias: foco e maturidade, e o meio para alcança-las é a vida de *Yoga*, com tudo o que a compõe. É com relação à vida de *Yoga* que o mestre *Patañjali* ensina seu *aṣṭāṅga* neste capítulo.

2.1

तपः स्वाध्यायेश्वरप्रणिधानानि क्रियायोगः ॥

tapaḥ svādhyāyeśvarapraṇidhānāni kriyāyogaḥ ||

Kriyā Yoga [consiste em] austeridade, estudo das escrituras e entrega a Īśvara.

tapaḥ-svādhyāya-īśvara-praṇidhānāni = austeridade, estudo das escrituras e entrega a *Īśvara* • ***kriyā-yogaḥ*** = disciplina na ação

Śrī Patañjali cunhou a expressão *kriyā yoga*, significando a prática, *sādhana*, para *kaivalya*, a liberação final. Nesta prática ele incluiu: austeridades, o estudo e a repetição dos *Vedas* e a entrega a *Īśvara*. *Tapas* significa várias disciplinas que também são mencionadas por *Śrī Kṛṣṇa* no capítulo 17 da *Bhagavadgītā*.

De acordo com os versos 14 a 16, *tapas* pode ser física (*śārīram*), verbal (*vāṅmayam*) ou mental (*mānasam*):

देवद्विजगुरुप्राज्ञपूजनं शौचमार्जवम् ।
ब्रह्मचर्यमहिंसा च शारीरं तप उच्यते ॥

devadvijaguruprājñapūjanaṁ śaucamārjavam |
brahmacaryamahiṁsā ca śārīraṁ tapa ucyate ||

A reverência a Deus, ao conhecedor dos Vedas, aos mestres e aos sábios, a pureza, a retidão, a disciplina e a não violência são chamados de ascese física.

अनुद्वेगकरं वाक्यं सत्यं प्रियहितं च यत् ।
स्वाध्यायाभ्यसनं चैव वाङ्मयं तप उच्यते ॥

anudvegakaraṁ vākyaṁ satyaṁ priyahitaṁ ca yat |
svādhyāyābhyasanaṁ caiva vāṅmayaṁ tapa ucyate ||

A fala que não causa agitação, que é verdadeira, agradável e benéfica, e também o estudo dos Vedas são chamados de ascese verbal.

मनःप्रसादः सौम्यत्वं मौनमात्मविनिग्रहः ।
भावसंशुद्धिरित्येतत्तपो मानसमुच्यते ॥

manaḥprasādaḥ saumyatvaṁ maunamātmavinigrahaḥ |
bhāvasaṁśuddhirityetattapo mānasamucyate ||

Tranquilidade mental, satisfação, silêncio, comando sobre a mente, pureza de atitude, honestidade, isso é chamado de ascese mental.

E, dependendo da atitude e do propósito com que as disciplinas são feitas, elas são chamadas de *sāttvika*, *rājasa* e *tāmasa*, nos versos 17.17 a 19 da *Bhagavadgītā*:

श्रद्धया परया तप्तं तपस्तत्त्रिविधं नरैः ।
अफलाकाङ्क्षिभिर्युक्तैः सात्त्विकं परिचक्षते ॥

śraddhayā parayā taptaṁ tapastattrividhaṁ naraiḥ ।
aphalākāṅkṣibhiryuktaiḥ sāttvikaṁ paricakṣate ॥

Dizem que os três tipos de ascese praticados com grande fé por pessoas disciplinadas e livres do desejo pelos resultados outros, que não sejam a preparação da mente, são sāttvikas.

सत्कारमानपूजार्थं तपो दम्भेन चैव यत् ।
क्रियते तदिह प्रोक्तं राजसं चलमध्रुवम् ॥

satkāramānapūjārthaṁ tapo dambhena caiva yat ।
kriyate tadiha proktaṁ rājasaṁ calamadhruvam ॥

Aquela ascese que é feita com hipocrisia, com o objetivo de receber reverência, honra e adoração, é aqui chamada de rājasa, e seu resultado é perecível e incerto.

मूढग्राहेणात्मनो यत्पीडया क्रियते तपः ।
परस्योत्सादनार्थं वा तत्तामसमुदाहृतम् ॥

mūḍhagrāheṇātmano yatpīḍayā kriyate tapaḥ
parasyotsādanārthaṁ vā tattāmasamudāhṛtam ॥

Aquela ascese que é feita com iludida determinação, com autotortura ou para a destruição de outros é chamada de tāmasa.

Svādhyāya é o estudo dos *Vedas*, que inclui escutar, refletir e contemplar e faz parte da disciplina diária, conforme nos diz o verso 1.11.1 da *Taitirīya Upaniṣad*:

स्वाध्यायप्रवचनाभ्यां न प्रमदितव्यम् ।

svādhyāya-pravacanābhyāṁ na pramaditavyam ।

O estudo e a repetição dos Vedas não devem ser negligenciados.

E, no verso 2.4.5 da *Bṛhadāraṇyaka Upaniṣad*, o método do estudo é mencionado:

आत्मा वा अरे द्रष्टव्यः श्रोतव्यो मन्तव्यो
निदिध्यासितव्यो मैत्रेयि ।

ātmā vā are draṣṭavyaḥ śrotavyo mantavyo
nididhyāsitavyo maitreyi |

Realmente, querida Maitreyi, o Ātman tem que ser visto e, para isso, tem que ser escutado, refletido e contemplado.

Īśvara-praṇidhāna, a entrega a *Īśvara*, exige o entendimento de *Īśvara*, que é a causa da criação e cuja forma é todo o universo, em seus aspectos físico, sutil e causal.

Entender *Īśvara* é entendê-lo como o Todo do qual *jīva*, o indivíduo, faz parte e saber que a verdade essencial de ambos é a mesma. O entendimento leva à entrega a *Īśvara*, que significa o fim da sensação de separação dele. É a entrega do ego, o relaxamento que nasce de saber que o indivíduo faz parte da ordem cósmica que é *Īśvara*, saber que a ideia de estar separado dele é um engano, uma aparência ou ilusão.

Nos versos 18.61,62 da *Bhagavadgītā*, *Śrī Kṛṣṇa* explica:

ईश्वरः सर्वभूतानां हृद्देशेऽर्जुन तिष्ठति ।
भ्रामयन्सर्वभूतानि यन्त्रारूढानि मायया ॥

īśvaraḥ sarvabhūtānāṁ hṛddeśe'rjuna tiṣṭhati |
bhrāmayansarvabhūtāni yantrārūḍhāni māyayā ||

Ó Arjuna, Īśvara está no coração de todos os seres, causando movimento a todos os seres, como se estivessem montados numa máquina, movendo-se devido à mágica.

तमेव शरणं गच्छ सर्वभावेन भारत ।
तत्प्रसादात्परां शान्तिं स्थानं प्राप्स्यसि शाश्वतम् ॥

tameva śaraṇaṁ gaccha sarvabhāvena bhārata |
tatprasādātparāṁ śāntiṁ sthānaṁ prāpsyasi śāśvatam ||

Ó Bhārata, Arjuna, busque refúgio nele com todo o seu ser. Devido à bênção dele, você alcançará a paz suprema, a residência eterna.

Da mesma forma, *Śrī Kṛṣṇa*, no verso 18.46 da *Bhagavadgītā*, enfatiza a vida de *karmayoga* como instrumento para a liberação e diz que *karmayoga* inclui *bhakti*, que é a devoção a *Īśvara* e equivale à expressão *Īśvara-praṇidhāna*.

यतः प्रवृत्तिर्भूतानां येन सर्वमिदं ततम् ।
स्वकर्मणा तमभ्यर्च्य सिद्धिं विन्दति मानवः ॥

yataḥ pravṛttirbhūtānāṁ yena sarvamidaṁ tatam |
svakarmaṇā tamabhyarcya siddhiṁ vindati mānavaḥ ||

Reverenciando aquele que é o criador dos seres e que tudo sustenta, a pessoa alcança o sucesso através da realização das ações de sua própria responsabilidade.

Para que a liberação, *mokṣa* ou *kaivaya*, seja alcançada, os textos da tradição védica mencionam a necessidade de uma mente que seja sensível e capaz de focar, para que possa apreciar a natureza do Eu que parece estar escondido. Isto porque o caminho do autoconhecimento é difícil de ser trilhado, como o fio da navalha.

Kāṭha Upaniṣad 1.3.12,14

एष सर्वेषु भूतेषु गूढोऽऽत्मा न प्रकाशते ।
दृश्यते त्वग्र्यया बुद्धया सुक्ष्मया सुक्ष्मदर्शिभिः ॥

eṣa sarveṣu bhūteṣu gūḍho'tmā na prakāśate |
dṛśyate tvagryayā buddhayā sukṣmayā sukṣmadarśibhiḥ ||

Estando escondido em todos os seres, o Ātmān não é evidente. Porém, ele é visto por aqueles de visão sutil que têm o intelecto sutil e focado.

उत्तिष्ठत जाग्रत प्राप्य वरान्निबोधत ।
क्षुरस्य धारा निशिता दुरत्यया दुर्गं पथस्तत्कवयो वदन्ति ॥

uttiṣṭhata jāgrata prāpya varānnibodhata |
kṣurasya dhārā niśitā duratyayā durgaṁ pathastatkavayo vadanti ||

Eleve-se. Acorde. Tendo se aproximado dos grandes, conheça o Ātmān. Os sábios dizem que aquele caminho para o autoconhecimento é difícil de ser atravessado; assim como o fio afiado da navalha é difícil de ser atravessado.

É necessário que a mente tenha objetividade e natureza contemplativa. Ela precisa ter objetividade, pois é arrebatada pelos gostos e aversões, *rāgas* e *dveṣas*, que são subjetivos, e naturalmente reage de acordo com eles. Um gosto é um valor ou paixão por determinado objeto que, acredita-se, fará a pessoa feliz; as aversões são rejeições a determinados objetos e à presença deles, pois acredita-se que trarão sofrimento. Podemos encontrar muito material na literatura de *Vedānta* sobre a mente preparada para a liberação.

No verso 4.4.23 da *Bṛhadāraṇyaka Upaniṣad*, a pessoa que possui objetividade e equilíbrio da mente é chamada de *samāhita*:

तस्मत् एववित् शान्तो दान्त उपरतस्तितिक्षुः
समाहितो भूत्वा आत्मनि एव आत्मानं पश्यति
सर्वं आत्मानं पश्यति ।

tasmāt evaṁvit śānto dānta uparatastitikṣuḥ
samāhito bhūtvā ātmani eva ātmānaṁ paśyati
sarvaṁ ātmānaṁ paśyati.

Portanto, conhecendo desta maneira, tendo se tornado mental e fisicamente controlado, livre de desejos, capaz de suportar os extremos opostos, capaz de concentração, essa pessoa vê o Ātmān em seu próprio eu; ele vê tudo como sendo o Eu.

No verso 2.3.7 da *Kaṭha Upaniṣad*, a mente é chamada de *sattva*, conforme explicado por *Śrī Śaṅkara* em seu comentário - *sattva-śabdāt buddhiḥ iha ucyate.* A palavra *sattva* significa *buddhi.*

Śrī Kṛṣṇa, no verso 16.1 da *Bhagavadgītā*, também usa o termo *sattvaśuddhi.*

No verso 3.6 da *Muṇḍaka Upaniṣad*, é dito que os sábios são aqueles que possuem a mente pura - *śuddha-sattvāḥ.*

Para alcançar essa qualificação tão importante para o autoconhecimento, a *sādhana* é *karmayoga*, aqui mencionada como *kriyā yoga*. Para adquirir a mente contemplativa, meditações são mencionadas separadamente.

2.2

समाधिभावनार्थः क्लेशतनूकरणार्थश्च ॥

samādhibhāvanārthaḥ kleśatanūkaraṇārthaśca ||

Tem como objetivo produzir a absorção e reduzir os sofrimentos.

samādhi-bhāvana-arthaḥ = tem como objetivo produzir a absorção • ***kleśa-tanū-karaṇa-arthaḥ*** = tem como objetivo reduzir os sofrimentos • ***ca*** = e

Kriyā ou *Karma Yoga* é um estilo de vida que prepara a mente do *yogin*; inclui escutar regularmente o ensinamento sobre *Brahman*, *Puruṣa*, e promover a assimilação do conhecimento, para que possa haver o *samādhi*. Ao preparar a mente, os *kleśas* perdem a força e a mente se torna aquietada e objetiva.

O que são os *kleśas*?

2.3

अविद्यास्मितारागद्वेषाभिनिवेशाः क्लेशाः ॥

avidyāsmitārāgadveṣābhiniveśāḥ kleśāḥ ||

Os [cinco] sofrimentos (kleśas) são: ignorância (avidyā), falso conceito do eu (asmitā), gosto (rāga), aversão (dveṣa) e medo da morte (abhiniveśa).

avidyā-asmitā-rāga-dveṣa-abhiniveśāḥ = ignorância, falso conceito de eu, gosto, aversão e medo da morte • ***kleśāḥ*** = os sofrimentos

Kleśa significa sofrimento ou aquilo que causa sofrimento ou que atormenta. Eles são cinco e serão explicados a seguir.

O primeiro *kleśa* é a causa de todos os outros.

2.4

अविद्या क्षेत्रमुत्तरेषां प्रसुप्ततनुविच्छिन्नोदाराणाम् ॥

avidyā kṣetramuttareṣāṁ prasuptatanuvicchinnodārāṇām ||

A ignorância é o campo fértil para os outros (quatro kleśas), que podem estar adormecidos, podem ser de forma sutil, de forma pouco expressa ou totalmente manifestos.

avidyā = ignorância • ***kṣetram*** = o campo fértil • ***uttareṣāṁ*** = para os outros • ***prasupta-tanu-vicchinna-udārāṇām*** = que podem estar adormecidos, podem ser de forma sutil, de forma pouco expressa ou totalmente manifestos

O primeiro *kleśa*, que é *avidyā*, ignorância do Eu real, é a causa dos outros quatro *kleśas*, que podem estar em diferentes estados: adormecido (*prasupta*) ou não manifesto; sutil (*tanu*) ou manifestando-se levemente; parcialmente manifesto em determinadas situações (*vicchinna*); e, por fim, totalmente manifesto (*udāra*).

Mais adiante, no *sūtra* 2.33, *Śrī Patañjali* ensina como lidar com esses quatro *kleśas*, enquanto ainda não se manifestaram e estão na forma sutil, ou mental.

Quando os quatro *kleśas* estão em estado manifesto, parcial ou totalmente, a atitude de *karmayoga*, que inclui a apreciação de *Īśvara* e outras *sādhanas*, é eficaz para lidar com eles. Enquanto estão adormecidos, são invisíveis.

É interessante observar que *Śrī Patañjali* usa a palavra *kṣetram*, um campo fértil onde uma semente plantada pode germinar. A ignorância é esse campo fértil e nela estão sementes de sofrimento: *asmitā*, *rāga*, *dveṣa*, *abhiniveśa* – falso conceito do eu, gosto, aversão, medo da morte. Essas sementes dependem do campo fértil, a ignorância, que as faz germinar. Algumas estão como que adormecidas, não perceptíveis. A manifestação delas pode ser sutil, invisível para os olhos dos outros, parcial, uma leve manifestação em determinadas situações, ou evidente, quando todos poderão percebê-la. Como, por exemplo, o *kleśa dveṣa*, aversão. Alguém que não goste de um tipo de música, por exemplo. Essa aversão pode estar adormecida, pois a pessoa não convive com a música, não tem oportunidade de escutá-la. Quando a aversão é sutil, ao escutar a música, a pessoa não gosta, quer se afastar ou acabar com a música, mas não reage. Quando a manifestação é parcial, a pessoa fica irritada, mas dependendo do ambiente e das pessoas ao redor, não expressa a aversão. Quando a aversão é forte, sem controle, ela se torna evidente, todos ao redor da pessoa percebem que ela não gosta e não quer que a música esteja presente.

No verso 3.27 da *Bhagavadgītā*,[1] *Śrī Kṛṣṇa* menciona *asmitā*, o falso conceito do eu, utilizando a palavra *ahaṅkāra* – *ahaṅkāra-vimūḍhātmā*, iludido pela falsa noção de eu.

No verso 2.71 da *Bhagavadgītā*, explica-se que o sábio é livre de *ahaṅkāra*. No capítulo 2, verso 56, *rāga*, *dveṣa* e *bhaya* são mencionados quando o sábio é descrito; ele é livre de gostos, aversões e medo.

Agora cada um dos cinco *kleśas* é explicado.

2.5

अनित्याशुचिदुःखानात्मसु
नित्यशुचिसुखात्मख्यातिरविद्या ॥

anityāśuciduḥkhānātmasu nityaśucisukhātmakhyātiravidyā ॥

Avidyā é a visão do eu que é eterno, puro e felicidade [projetado] no não eu, que é não eterno, impuro e infelicidade.

anitya-aśuci-duḥkha-anātmasu = no não eu, que é não eterno, impuro e infelicidade • ***nitya-śuci-sukha-ātma-khyātiḥ*** = é a visão do eu que é eterno, puro e felicidade • ***avidyā*** = a ignorância

Avidyā é a ignorância com relação à natureza real do eu; essa ignorância produz um erro que é comum a todo ser humano – o

---

[1] *prakṛteḥ kriyamāṇāni guṇaiḥ karmāṇi sarvaśaḥ ahaṅkāravimūḍhātmā kartāhamiti manyate*
As ações de todos os tipos são feitas pelos guṇas (qualidades) da natureza. Aquele com a mente iludida pela falsa noção do eu considera "eu sou o agente da ação".

erro fundamental da vida humana, que é causa de todo sofrimento –, a visão equivocada sobre quem sou eu. O erro é chamado *adhyāsa* e é analisado por *Śrī Śaṅkara* em sua introdução ao *Brahma Sūtra*. Ele diz que *adhyāsa*, a superimposição de uma coisa em outra, se define como: *atasmin tad-buddhiḥ*, a visão de uma coisa em outra que é diferente.

Patañjali diz que o eu real, eterno e pleno, que é experienciado por todos nós, é projetado no corpo e na mente que não são o eu; como esse novo eu é limitado, o erro cometido é a fonte dos sofrimentos.

Esses sofrimentos são então descritos.

2.6

दृग्दर्शनशक्त्योरेकात्मतेवास्मिता ॥

dṛgdarśanaśaktyorekātmatevāsmitā ॥

Asmitā, a falsa noção do eu, é a falsa identidade entre a natureza do sujeito e a do instrumento de visão.

dṛg-darśana-śaktyoḥ = entre a natureza do sujeito e a do instrumento de visão • ***ekātmatā*** = identidade • ***iva*** = falsa • ***asmitā*** = a falsa noção de eu

Asmi significa "eu sou" e *asmitā* é o conceito de quem sou eu. Este conceito nasce da identidade entre o significado da palavra *dṛk*, o sujeito que vê ou que percebe algo, e a palavra *darśana*, o instrumento de percepção, que é constituído do corpo, dos sentidos e da mente, como se esses fossem uma entidade única, o Eu.

Dizemos que é o *kārya-karaṇa-saṅghāta*, o conjunto do corpo, da mente e dos sentidos, que é considerado o Eu. Trata-se de um erro apontado por *Vedānta*, pois como o corpo, a mente e os sentidos, evidentemente objetos de percepção, podem ser o sujeito?!

O Eu é aquele que é consciente de tudo, que ilumina todo o universo, inclusive o corpo e a mente, e é autoconsciente. A natureza daquele que é consciente tem que ser consciência!

Como este conhecimento não é claro, o erro é cometido. "Nasce", assim, um outro eu, que não é real, mas é visto como se fosse. O sujeito e a mente são identificados como o Eu e a partir daí nascem os sentimentos de culpa e mágoa - "Por que fiz isso?!" "Por que fizeram isso comigo?!" - que atormentam a pessoa.

Dṛk, o sujeito, é pura Consciência; quando este, que é o sujeito, não é reconhecido, a pessoa se identifica com o corpo, os sentidos e a mente, chamados aqui de *darśana*.

2.7

सुखानुशयी रागः ॥

sukhānuśayī rāgaḥ ||

Rāga, gosto, é o que segue a experiência de prazer.

sukha-anuśayī = o que segue a experiência de prazer • ***rāgaḥ*** = gosto

Quando há a experiência de algo agradável, prazeroso, a mente deseja repeti-la e a registra como *rāga*, um gosto, ao que ela se apega.

2.8

दुःखानुशयी द्वेषः ॥

duḥkhānuśayī dveṣaḥ ||

Dveṣa, aversão, é o que segue a experiência de insatisfação.

duḥkha-anuśayī = é o que segue a experiência de insatisfação • ***dveṣaḥ*** = aversão

Ao experienciar situações agradáveis, a pessoa deseja repeti-la e se apega a ela. Ao contrário, se a experiência for de sofrimento, a mente a registra como "eu não quero que isso aconteça novamente". São o desejo positivo e o desejo negativo, a paixão e a revolta, que dominam a mente da pessoa comum. Ambos causam sofrimento.

O desejo em si mesmo é um privilégio do ser humano, um poder em suas mãos e muito importante em sua vida, pois é o que motiva à ação. O problema é estar sob o poder do desejo e, assim, sujeito a reações emocionais, devido ao erro de pensar que algum objeto ou situação pode fazer alguém feliz.

2.9

स्वरसवाही विदुषोऽपि तथारूढोऽभिनिवेशः ॥

svarasavāhī viduṣo'pi tathārūḍho'bhiniveśaḥ ||

Abhiniveśa, apego à vida, é um impulso de instinto natural igualmente forte também para a pessoa de conhecimento.

svarasavāhī = impulso de instinto natural • ***viduṣaḥ*** = para a pessoa de conhecimento • ***api*** = também • ***tathā*** = igualmente • ***ārūḍhaḥ*** = forte • ***abhiniveśaḥ*** = apego à vida

Abhiniveśa é o quinto *kleśa*. Pode ser traduzido como apego à vida ou medo da morte. É um impulso instintivo natural a todas as pessoas. Nasce da ignorância de si mesmo como eterno. E, devido à identificação com o corpo, surge do medo sobre o que acontecerá depois que o corpo morrer.

2.10

ते प्रतिप्रसवहेयाः सूक्ष्माः ॥

te pratiprasavaheyāḥ sūkṣmāḥ ॥

Estes (kleśas) são sutis [e] devem ser abandonados através do processo de se opor ao nascimento deles.

te = estes, *kleśas* • ***pratiprasava-heyāḥ*** = devem ser abandonados através do processo de se opor ao nascimento deles • ***sūkṣmāḥ*** = sutis

Os *kleśas* que são sutis, não manifestos fisicamente, podem ser abandonados antes de se manifestarem. Para isso eles devem ser percebidos ainda em estado sutil, na mente, e desativados. A maneira de desativá-los é evocar o seu oposto.

Pratiprasava significa aquilo que se opõe (*prati*) ao nascimento (*prasava*). O instrumento para eliminar os *kleśas* que estão em estado sutil, não manifestos, é *pratiprasava*.

Quando um *yogin* percebe a manifestação sutil de um *dveṣa*, por exemplo, em sua mente, ele trabalha para neutralizá-lo antes que se manifeste fisicamente através de um olhar, gestos ou palavras. O *yogin* traz acolhimento, aceitação e compreensão daquilo que cria o *dveṣa*, sem reagir, e faz algo para que a mente se aquiete.

2.11

ध्यानहेयास्तद्वृत्तयः ॥

dhyānaheyāstadvṛttayaḥ ||

As expressões deles (dos kleśas) devem ser abandonadas através da meditação.

dhyāna-heyāḥ = devem ser abandonadas através da meditação • ***tad-vṛttayaḥ*** = as expressões deles

Os *kleśas* não desaparecem por si só. Eles devem ser abandonados deliberadamente através de um método eficaz.

Neste *sūtra*, o mestre *Patañjali* fala sobre os *kleśas* em estado já manifesto, que já se tornaram expressos. Esses devem permanecer na forma sutil, através de meditação, para depois virarem não manifestos, incapacitados de criar sofrimento para o *yogin*.

A meditação é um processo mental que inclui o questionamento deliberado e a contemplação. Neste processo, o *yogin* consegue perceber todo o movimento sutil de sua mente antes que tome forma e se evidencie.

Vṛttayaḥ é o plural de *vṛtti*, que significa pensamento e também atividade, expressão. Então *tad-vṛttayaḥ* significa as expressões deles, dos *kleśas*, que constituem a vida de apegos e aversões, o medo da morte e a identificação errônea de si mesmo – tudo isso deve ser abandonado.

Se deixarmos seguir o fluxo natural, os *kleśas* e suas expressões vão continuar. É necessário um desejo e um esforço deliberado para resolver o problema que nasce da ignorância relativa ao Eu.

O reservatório de *karma*:

2.12

क्लेशमूलः कर्माशयो दृष्टादृष्टजन्मवेदनीयः ॥

kleśamūlaḥ karmāśayo dṛṣṭādṛṣṭajanmavedanīyaḥ ॥

O reservatório de karma tem raiz nos kleśas [e] deve ser vivenciado neste e nos nascimentos futuros.

kleśa-mūlaḥ = tem raiz nos *kleśas* • ***karma-āśayaḥ*** = o reservatório de *karma* • ***dṛṣṭa-adṛṣṭa-janma-vedanīyaḥ*** = deve ser vivenciado neste e nos nascimentos futuros

A raiz para os nascimentos de um *jīva*, um indivíduo, é a ignorância, somada ao ego e a seus gostos e aversões. Devido à ignorância, o *jīva* se identifica como o agente da ação, realiza ações e recebe, inevitavelmente, seus resultados. *Karma* é uma palavra sânscrita e seu significado é encontrado nos *Vedas*. Sua explicação detalhada pode ser encontrada no *Tattvabodhaḥ*,[2] de *Śrī Śaṅkara*.

O reservatório de todo *karma* de um *jīva* é chamado de *sañcita karma*; deste reservatório, origina-se um *karma* que é vivido num determinado nascimento - chamado de *prārabdha karma*. O que é feito numa vida produz um resultado que será recebido no futuro, isto é *āgāmi karma*.

O *karma* só será eliminado quando seu resultado for vivido. Ou quando, através do conhecimento, a identidade com o agente da ação, *kartṛ*, desaparecer. Não é possível acabar com o reservatório de *karma*, pois, à medida que uns são eliminados,

[2] *Tattvabodhaḥ, O conhecimento da Verdade*, foi publicado pelo Vidya Mandir, com tradução e comentários de Gloria Arieira.

outros são adquiridos. Mesmo que todos os *karmas* negativos fossem neutralizados através de boas ações, ainda restariam os *karmas* positivos, e portanto haveria novos nascimentos.

2.13

सति मूले तद्विपाको जात्यायुर्भोगाः ॥

sati mūle tadvipāko jātyāyurbhogāḥ ||

Enquanto existir a raiz, haverá a manifestação daqueles (karmas), [determinando] o nascimento, a longevidade e as experiências.

sati = enquanto existir • ***mūle*** = a raiz • ***tad-vipākaḥ*** = a manifestação daqueles • ***jāti-āyur-bhogāḥ*** = o nascimento, a longevidade e as experiências

A raiz ou causa dos *kleśas* é a ignorância relativa ao Eu. Em seguida vem todo o reservatório das ações já feitas no passado que, aos poucos, vão produzindo os resultados pertinentes. Esses resultados determinam o tipo de nascimento, a duração da vida e as experiências que serão vividas. Esse reservatório é chamado de *sañcita-karma*; o tipo de nascimento e as experiências contidas nele constituem o *prārabdha-karma*; as ações já realizadas, que serão adicionadas ao reservatório, esperando o momento para o amadurecimento, são *āgāmi-karma*. Todos esses *karmas* contêm igualmente ações positivas, causadoras de alegrias, e negativas, causadoras de sofrimento.

A ignorância do Eu faz com que a pessoa se identifique como agente da ação, *kartṛ*, e como recebedor de seu fruto, *bhoktṛ*, num fluxo contínuo de nascimentos, mortes e experiências que constitui o *samsāra*. A eliminação da ignorância constitui a libertação do *samsāra*, chamada de *mokṣa* ou *kaivalya*.

Que experiências são essas?

2.14

ते ह्लादपरितापफलाः पुण्यापुण्यहेतुत्वात् ॥

te hlādaparitāpaphalāḥ puṇyāpuṇyahetutvāt ||

Esses [tipos de nascimento, longevidade e experiências] são os resultados [caracterizados por] satisfação ou sofrimento, pois são causados por mérito e demérito.

te = esses [tipos de nascimento, longevidade e experiências] • ***hlāda-paritāpa-phalāḥ*** = são os resultados [caracterizados por] satisfação ou sofrimento • ***puṇya-apuṇya-hetutvāt*** = pois são causados por mérito e demérito

Experiências agradáveis e dolorosas, *bhogāḥ*, são os resultados das ações do passado, pois são causadas por *puṇya*, ações meritórias, e *apuṇya*, ações não meritórias. Assim, também, o tipo de nascimento, a duração da vida e as experiências dependem das ações realizadas.

Puṇya-karma é uma ação que produz um resultado positivo, chamado de *puṇya* ou mérito. *Puṇya-karma* é aquilo que deve ser ou é feito pela pessoa com a finalidade de ajudar outros.

Apuṇya-karma ou *pāpa-karma* é uma ação que produzirá um resultado negativo, de sofrimento, chamado de *pāpa*, *apuṇya* ou demérito. *Apuṇya-karma* é fazer o que não deve ser feito ou fazer algo da maneira que não se deve, causando sofrimento a outros.

Puṇya produz alegria e satisfação; *apuṇya* produz sofrimento e insatisfação.

2.15

परिणामतापसंस्कारदुःखैर्गुणवृत्तिविरोधाच्च
दुःखमेव सर्वं विवेकिनः ॥

pariṇāmatāpasaṁskāraduḥkhairguṇavṛttivirodhācca
duḥkhameva sarvaṁ vivekinaḥ ||

Para a pessoa dotada de discriminação, tudo (o nascimento, a longevidade e as experiências) é definitivamente sofrimento, devido ao sofrimento que tem origem na tendência à ansiedade e na natureza de constante mudança [de tudo no universo]; e devido à oposição na expressão dos guṇas (as três características inatas ao universo).

pariṇāma-tāpa-saṁskāra-duḥkhaiḥ = devido ao sofrimento que tem origem na tendência à ansiedade e na natureza de constante mudança • ***guṇa-vṛtti-virodhāt*** = devido à oposição na expressão dos *guṇas* • ***ca*** = e • ***duḥkham*** = sofrimento • ***eva*** = definitivamente • ***sarvam*** = tudo (o nascimento, a longevidade e as experiências) • ***vivekinaḥ*** = para a pessoa dotada de discriminação

O *vivekin* é a pessoa dotada de discriminação sobre o que é eterno e o que é não eterno; essa pessoa é sábia. O que traz satisfação ao *vivekin* e ao *avivekin* (quem não possui discriminação) são coisas diferentes. Diz *Patañjali* que, para uma pessoa que entende a limitação dos objetos, todas as experiências são limitadas e causadoras de sofrimento, pois elas mantêm a visão básica do eu limitado, essencialmente carente e dependente de experiências específicas para ser feliz. Seja um sofrimento no início da experiência pela dificuldade de concretizá-la, ou, mesmo que no início haja prazer, um sofrimento no final, devido ao término da experiência prazerosa ou porque, no processo, a pessoa se cansou e se desinteressou.

Como tudo muda constantemente, há sempre ansiedade com relação a mudanças indesejáveis e certo sofrimento pela oposição natural dos *guṇas*, as características da natureza.

O verso 2.5 da *Kena Upaniṣad* diz que o ganho que faz diferença é o ganho do Eu livre de limitação. Qualquer outro ganho é limitado.

इह चेदवेदीदथ सत्यमस्ति न चेदिहावेदीन्महती विनष्टिः ।
भूतेषु भुतेषु विचित्य धीराः प्रेत्यास्माल्लोकादमृता भवन्ति ॥

iha cedavedīdatha satyamasti na cedihāvedīnmahatī vinaṣṭiḥ ।
bhūteṣu bhūteṣu vicitya dhīrāḥ pretyāsmāllokādamṛtā bhavanti ॥

Se aqui ele conhece, então existe verdade (na sua vida). Se aqui ele não conhece, então há uma grande perda. Vendo Brahman em todos os seres, os sábios, dando as costas para o mundo, tornam-se imortais.

Tudo o mais é sofrimento, pois o mundo está em constante mudança. Portanto nada oferece segurança. A mutabilidade traz ansiedade, assim como o movimento conflitante dos *guṇas*.

Bhagavadgītā 14.5,10

सत्त्वं रजस्तम इति गुणाः प्रकृतिसंभवाः ।
निबध्नन्ति महाबाहो देहे देहिनमव्ययम् ॥

sattvaṁ rajastama iti guṇāḥ prakṛtisambhavāḥ ।
nibadhnanti mahābāho dehe dehinamavyayam ॥

Sattva, rajas, tamas são as qualidades que nascem de Prakṛti, ó Mahābāhu, Arjuna. Elas aprisionam o Ser imutável no corpo.

रजस्तमश्चाभिभूय सत्त्वं भवति भारत ।
रजः सत्त्वं तमश्चैव तमः सत्त्वं रजस्तथा ॥

rajastamaścābhibhūya sattvaṁ bhavati bhārata ।
rajaḥ sattvaṁ tamaścaiva tamaḥ sattvaṁ rajastathā ॥

Sattva se manifesta sobrepujando rajas e tamas, ó Bhārata, Arjuna; rajas se manifesta sobrepujando sattva e tamas; tamas se manifesta sobrepujando sattva e rajas.

Ansiosa, em conflito, sem segurança, como pode a pessoa encontrar paz?!

Os *guṇas*, ou características básicas da natureza, são: *sattva* (caracterizada por clareza mental, tranquilidade, calma), *rajas* (agitação, paixão, impulso para ação) e *tamas* (falta de clareza e de vontade de agir). Quando um desses predomina, ele controla momentaneamente os outros dois, e o funcionamento deles os mantém em constante oposição.

A pessoa dotada de discriminação e do conhecimento da natureza do Eu reconhece que a completude é a natureza do Eu; entende que todos os desejos satisfeitos estão associados ao sofrimento, tanto por sua limitação intrínseca como pela possibilidade de sua perda. Ela entende que todo ganho envolve perda!

O sábio vive a plenitude do Eu, sem depender de objetos; reconhece que o prazer dos objetos inclui sofrimento. Por isso, *Patañjali* diz que "toda experiência, que é o contato dos sentidos com os objetos, é sofrimento", assim como *Śrī Kṛṣṇa*, no verso 2.14 da *Bhagavadgītā*:

मात्रास्पर्शास्तु कौन्तेय शीतोष्णसुखदुःखदाः ।
आगमापायिनोऽनित्यास्तांस्तितिक्षस्व भारत ॥

mātrāsparśāstu kaunteya śītoṣṇasukhaduḥkhadāḥ ।
āgamāpāyino'nityāstāṁstitikṣasva bhārata ॥

Os contatos dos sentidos com os objetos trazem frio, calor, alegria e tristeza, são de curta duração e impermanentes, ó Kaunteya, Arjuna. Ó Bhārata, Arjuna, tenha tolerância com eles.

Para começar, o que pode ser feito?

2.16

हेयं दुःखमनागतम् ॥

heyaṁ duḥkhamanāgatam ||

O sofrimento que ainda não veio deve ser evitado.

heyam = deve ser evitado • ***duḥkham*** = o sofrimento • ***anāgatam*** = que ainda não veio

O sofrimento do passado tem que ser acolhido, acomodado no coração. O sofrimento do presente deve ser acomodado no entendimento de que veio através das leis cósmicas que governam o universo, como fruto de nossas ações do passado. O sofrimento que ainda não chegou deve ser evitado com objetividade. Tendo feito uma ação com um objetivo específico, saiba que dela pode advir ou não o que você quer ou pode advir algo completamente diferente.

Para evitar o sofrimento futuro, é necessário ter objetividade e fazer a melhor ação possível a cada momento. Para isso é necessária a apreciação de *Īśvara*, que é a ordem que governa as várias áreas do universo, a ordem cósmica.

Kṛṣṇa, no capítulo 2 da *Bhagavadgītā*, analisa a natureza do universo como limitada e em constante mudança. Sabendo disso, o sábio não reage, culpando ou sentindo-se culpado, e somente age de forma deliberada.

जातस्य हि ध्रुवो मृत्युर्ध्रुवं जन्म मृतस्य च ।
तस्मादपरिहार्येऽर्थे न त्वं शोचितुमर्हसि ॥

jātasya hi dhruvo mṛtyurdhruvaṁ janma mṛtasya ca |
tasmādaparihārye'rthe na tvaṁ śocitumarhasi ||

Pois, para aquele que nasce, a morte é certa, e, para o morto, o nascimento é certo. Portanto você não deve ficar triste por um fato inevitável.

A razão do sofrimento é mencionada.

2.17

द्रष्टृदृश्ययोः संयोगो हेयहेतुः ॥

draṣṭṛdṛśyayoḥ saṁyogo heyahetuḥ ||

A união daquele que vê (o sujeito) com o que é visto (o objeto) é a causa [do sofrimento e] deve ser eliminada.

draṣṭṛ-dṛśyayoḥ = daquele que vê (o sujeito) com o que é visto (o objeto) • ***saṁyogaḥ*** = a união • ***heya-hetuḥ*** = é a causa [do sofrimento e] deve ser eliminada

Saṁyoga é união. A união do sujeito com o objeto não é verdadeira, mas causada pela ignorância. Devido ao não entendimento da natureza do sujeito (*draṣṭṛ*) e do objeto *(dṛsya)*, os dois são misturados – o objeto é visto como sendo o sujeito, o sujeito é visto como sendo o objeto. O corpo, que é um objeto, é visto como eu, e o eu é visto como corpo.

Essa união acontece na mente e deve ser eliminada na mente; a ignorância, causa desta união falsa, tem que dar lugar ao conhecimento. A eliminação da união entre esses dois, que têm naturezas opostas, se dá através do conhecimento.

O sujeito e o objeto têm naturezas opostas. O objeto é o que precisa ser revelado, objetificado; o sujeito é aquele que revela o objeto. O sujeito é da natureza da Consciência, revela o objeto e a si mesmo. O objeto é aquele que depende da Consciência para ser conhecido. A oposição entre eles é como a luz e a escuridão! A identidade entre eles é impossível, porém acontece. Isto é exatamente *mithyā-jñāna*, conhecimento falso, a não percepção da diferença entre os dois, *itaretara-aviveka*. Como há a percepção da identidade entre os dois, que é falsa, ela tem que ser corrigida por conhecimento.

Vedānta trata exatamente desta união entre o sujeito e o objeto, que afirma ser falsa, nascida da superimposição de um no outro. Isto é chamado de *adhyāsa* e é o assunto do *Brahma-sūtra-bhāṣyam*, o comentário introdutório ao *Brahma-sūtra* escrito por *Śrī Śankara.*

A natureza daquele que é visto é explicada.

2.18

प्रकाशक्रियास्थितिशीलं भूतेन्द्रियात्मकं
भोगापवर्गार्थं दृश्यम् ॥

prakāśakriyāsthitiśīlaṁ bhūtendriyātmakaṁ
bhogāpavargārthaṁ dṛśyam ||

O que é percebido (o objeto) tem as características de clareza, ação e imobilidade, é da natureza dos [cinco] elementos e dos órgãos [de percepção, incluindo a mente, e de ação], [e] tem como objetivo o prazer e a liberação.

prakāśa-kriyā-sthiti-śīlaṁ = tem as características de clareza, ação e imobilidade • ***bhūta-indriya-ātmakaṁ*** = é da natureza dos elementos e dos órgãos • ***bhoga-apavarga-arthaṁ*** = tem como objetivo o prazer e a liberação • ***dṛśyam*** = o que é percebido

Todos os objetos são chamados de *dṛśyam*, da raiz verbal *dṛś*, que significa ver; *dṛśyam* é, então, o que pode ser visto ou percebido. São aqui definidos como sendo de natureza densa e sutil, constituídos de três *guṇas* (*sattva, rajas* e *tamas*), e dão às pessoas a experiência de prazer ou a liberação.

No texto de *Dṛg-dṛsya-vivekaḥ*, de *Bhāratitīrtha*, *dṛk* e *dṛsya* são explicados no primeiro verso:

रूपं दृश्यं लोचनं दृक् तद् दृश्यं दृक्तु मनसम्।
दृश्या धीवृत्तयस्साक्षी दृगेव न तु दृश्यते ॥१॥

rūpaṁ dṛśyaṁ locanaṁ dṛk tad dṛśyaṁ dṛk tu manasam
dṛśyā dhīvṛttayassākṣī dṛgeva na tu dṛśyate ||

A forma é vista e o olho é aquele que vê. Mas aquele olho é visto e a mente é aquele que vê. Os pensamentos mentais são vistos e a testemunha é aquele que vê, e ela, a testemunha, jamais é vista; não é objeto, é sempre sujeito.

Os objetos são constituídos pelos três *guṇas* - *sattva*, com a característica de luz, clareza; *rajas*, com a característica de ação, movimento; e *tamas*, com a característica de inércia. Os objetos são compostos pelos cinco elementos, densos e sutis, os mesmos que compõem o universo, os órgãos dos sentidos, a mente e o intelecto.

Como diz *Śrī Kṛṣṇa* no verso 13.2 da *Bhagavadgītā*:

श्रीभगवानुवाच
इदं शरीरं कौन्तेय क्षेत्रमित्यभिधीयते ।
एतद्यो वेत्ति तं प्राहुः क्षेत्रज्ञ इति तद्विदः ॥

śrībhagavānuvāca
idaṁ śarīraṁ kaunteya kṣetramityabhidhīyate ।
etadyo vetti taṁ prāhuḥ kṣetrajña iti tadvidaḥ ॥

O Senhor Kṛṣṇa disse:
– Este corpo, ó Kaunteya, Arjuna, é chamado kṣetra. Aqueles que o conhecem dizem que aquele que conhece esse kṣetra é o kṣetrajña.

A finalidade dos objetos é dar o prazer e a liberação; pois a experiência dos objetos tanto leva ao prazer, como pode conduzir ao questionamento e à liberação.

Os objetos, unidos aos seus respectivos órgãos, podem produzir prazer; sua natureza limitada pode conduzir ao questionamento, ao desapego e à busca pela liberação do sentimento de limitação.

Os *guṇas* que caracterizam os objetos são mencionados.

2.19

विशेषाविशेषलिङ्गमात्रालिङ्गानि गुणपर्वाणि ॥

viśeṣāviśeṣaliṅgamātrāliṅgāni guṇaparvāṇi ॥

As modificações dos guṇas (características básicas do universo) são: forma diferenciada, forma não diferenciada, forma sutil, forma não manifesta.

viśeṣa-aviśeṣa-liṅga-mātra-aliṅgāni = forma diferenciada, forma não diferenciada, forma sutil, forma não manifesta • ***guṇa-parvāṇi*** = modificação dos *guṇas*

Todo o universo é *dṛsya* e é constituído dos três *guṇas*. Este *sūtra* dá detalhes sobre a natureza de um objeto, *dṛsya*.

Guṇa-parva significa *guṇa-pariṇāma*, as modificações dos três *guṇas* que constituem o universo e que são:

1. Forma diferenciada, ou forma manifesta individual, *viśeṣa;*
2. Forma não diferenciada, ou forma manifesta total, *aviśeṣa;*
3. Forma sutil total, *liṅgamātra:*
4. Forma não manifesta total, *aliṅga.*

De acordo com as palavras de *Śrī Kṛṣṇa*, na *Bhagavadgītā*, capítulo 13, versos 6 e 7:

महाभूतान्यहङ्कारो बुद्धिरव्यक्तमेव च ।
इन्द्रियाणि दशैकं च पञ्च चेन्द्रियगोचराः ॥

mahābhūtānyahaṅkāro buddhiravyaktameva ca ।
indriyāṇi daśaikaṁ ca pañca cendriyagocarāḥ ॥

Os cinco elementos sutis, o ahaṅkāra, Mahat, o não manifesto, os dez órgãos e a mente e os cinco objetos dos sentidos,

इच्छा द्वेषः सुखं दुःखं सङ्घातश्चेतना धृतिः ।
एतत्क्षेत्रं समासेन सविकारमुदाहृतम् ॥

icchā dveṣaḥ sukhaṁ duḥkhaṁ saṅghātaścetanā dhṛtiḥ ।
etatkṣetraṁ samāsena savikāramudāhṛtam ॥

o desejo, a aversão, o prazer, a dor, o conjunto de corpo e mente, a inteligência, a coragem – isso foi descrito em poucas palavras como kṣetra, com suas modificações.

Mahābhūtāni são os cinco elementos sutis; *ahaṅkāra* e *buddhi* são a mente cósmica, chamada de *Hiranyagarbha*; *avyakta* é o não manifesto; *daśaikaṁ indriyāṇi* são os 11 órgãos, ou seja, cinco órgãos de ação, cinco órgãos de percepção e a mente individual, e também os cinco elementos densos ou físicos, que são os objetos.

Tudo isso constitui *Prakṛti*, que é explicada no capítulo 13 da *Bhagavadgītā* e chamada de *kṣetra*. *Prakṛti* não é independente nem separada de *Puruṣa*, que é completo, livre de limitação e independente.

यथा प्रकाशयत्येकः कृत्स्नं लोकमिमं रविः ।
क्षेत्रं क्षेत्री तथा कृत्स्नं प्रकाशयति भारत ॥

yathā prakāśayatyekaḥ kṛtsnaṁ lokamimaṁ raviḥ |
kṣetraṁ kṣetrī tathā kṛtsnaṁ prakāśayati bhārata ||

Assim como um sol ilumina todo este mundo, similarmente o kṣetrī, o Ātman, ilumina todo o kṣetra, ó Bhārata, Arjuna!

Kaṭha Upaniṣad 1.3.10,11

इन्द्रियेभ्यः परा ह्यर्था अर्थेभ्यश्च परं मनः ।
मनसस्तु परा बुद्धिर्बुद्धेरात्मा महान्परः ॥

indriyebhyaḥ parā hyarthā arthebhyaśca paraṁ manaḥ |
manasastu parā buddhirbuddherātmā mahānparaḥ ||

Os objetos são superiores aos sentidos. A mente é superior aos objetos. O intelecto é superior à mente. Mahat, que é Hiraṇyagarbha, é superior.

महतः परमव्यक्तमव्यक्तात्पुरुषः परः ।
पुरुषान्न परं किञ्चित्सा काष्ठा सा परा गतिः ॥

mahataḥ paramavyaktamavyaktātpuruṣaḥ paraḥ |
puruṣānna paraṁ kiñcicitsā kāṣṭhā sā parā gatiḥ ||

O não manifesto é superior ao Mahat. O Puruṣa é superior ao não manifesto. Não há nada superior ao Puruṣa. Este é o mais alto. Este é o maior objetivo.

E o sujeito? Qual é a sua natureza?

2.20

द्रष्टा दृशिमात्रः शुद्धोऽपि प्रत्ययानुपश्यः ॥

draṣṭā dṛśimātraḥ śuddho'pi pratyayānupaśyaḥ ||

O sujeito é somente Consciência; apesar de puro,
é testemunha de pensamentos.

draṣṭā = aquele que vê, o sujeito • ***dṛśi-mātraḥ*** = somente Consciência • ***śuddhaḥ*** = puro • ***api*** = apesar de • ***pratyaya-anupaśyaḥ*** = testemunha de pensamentos

O *draṣṭṛ* ou *dṛk* é pura Consciência; é o *Puruṣa* que é um, apesar de parecer muitos.

A Consciência só pode ser uma – de outra forma ela seria limitada e objetificada pela outra consciência, como qualquer objeto. Mas, apesar de ser uma, e sempre pura, parece muitas. Sua pureza se dá por ser sempre a mesma, não estar sujeita a mudanças e não ser afetada por nada, imutável.

No capítulo 1 do *Dṛg-dṛśya-viveka*, o *dṛg* é denominado *sākṣī*, a testemunha dos pensamentos. E sua natureza é explicada no verso 5 do texto:

नोदेति नास्तमेत्येषा न वृद्धिं याति न क्षयम् ।
स्वयं विभात्यथान्यानि भासयेत्साधनं विना ॥

nodeti nāstametyeṣā na vṛddhiṁ yāti na kṣayam |
svayaṁ vibhātyathānyāni bhāsayetsādhanaṁ vinā ||

Esta consciência não nasce nem se põe, não caminha para crescimento nem para destruição. Ela por si só brilha e sem ajuda ilumina os outros.

No capítulo 13 da *Bhagavadgītā*, *Puruṣa* é chamado de *jñeya*, aquilo que deve ser conhecido, e é explicado nos versos 13 a 17 com clareza e beleza!

ज्ञेयं यत्तत्प्रवक्ष्यामि यज्ज्ञात्वामृतमश्नुते ।
अनादिमत्परं ब्रह्म न सत्तन्नासदुच्यते ॥

jñeyaṁ yattatpravakṣyāmi yajjñātvāmṛtamaśnute |
anādimatparaṁ brahma na sattannāsaducyate ||

Eu ensinarei o que é jñeya, o que deve ser conhecido. Tendo conhecido isso, o indivíduo alcança a imortalidade. É o ilimitado Brahman, que não tem início. É dito que ele não é sat, um efeito, nem asat, a causa.

सर्वतः पाणिपादं तत्सर्वतोऽक्षिशिरोमुखम् ।
सर्वतः श्रुतिमल्लोके सर्वमावृत्य तिष्ठति ॥

sarvataḥ pāṇipādaṁ tatsarvato'kṣiśiromukham |
sarvataḥ śrutimalloke sarvamāvṛtya tiṣṭhati ||

Ele tem mãos e pés em todas as direções; tem olhos, cabeças e bocas em todas as direções e também ouvidos. Ele permanece permeando tudo no mundo.

सर्वेन्द्रियगुणाभासं सर्वेन्द्रियविवर्जितम् ।
असक्तं सर्वभृच्चैव निर्गुणं गुणभोक्तृ च ॥

sarvendriyaguṇābhāsaṁ sarvendriyavivarjitam |
asaktaṁ sarvabhṛccaiva nirguṇaṁ guṇabhoktṛ ca ||

Ele é manifesto através das funções de todos os órgãos, mas, ao mesmo tempo, é livre de todos os órgãos. Sustenta tudo, mas é independente. É o experimentador das qualidades, mas é livre das qualidades.

बहिरन्तश्च भूतानामचरं चरमेव च ।
सूक्ष्मत्वात्तदविज्ञेयं दूरस्थं चान्तिके च तत् ॥

bahirantaśca bhūtānāmacaraṁ carameva ca |
sūkṣmatvāttadavijñeyaṁ dūrasthaṁ cāntike ca tat ||

Ele está dentro e fora dos seres; é imóvel e móvel; sendo sutil, ele não é objeto do conhecimento; e ele é o mais distante e o mais próximo.

अविभक्तं च भूतेषु विभक्तमिव च स्थितम् ।
भूतभर्तृ च तज्ज्ञेयं ग्रसिष्णु प्रभविष्णु च ॥

avibhaktaṁ ca bhūteṣu vibhaktamiva ca sthitam ।
bhūtabhartṛ ca tajjñeyaṁ grasiṣṇu prabhaviṣṇu ca ॥

E ele é não dividido, mas permanece como se fosse dividido nos seres. Aquele que deve ser conhecido, Brahman, *é o criador, o destruidor e o sustentador dos seres.*

O verso 2.2.5 da *Kaṭha Upaniṣad* diz que o sujeito é muito mais do que o corpo e a respiração que o mantém vivo.

न प्रणेन नापानेन मर्त्यो जीवति कश्चन ।
इतरेण तु जीवन्ति यस्मिन्नेतावुपाश्रितौ ॥

na praṇena nāpānena martyo jīvati kaścana ।
itareṇa tu jīvanti yasminnetāvupāśritau ॥

Nenhum mortal vive através do prāna *ou do* apāna.
Mas eles vivem por causa de outra coisa da qual esses dois, prāṇa *e* apāna, *dependem.*

Porém, o Eu não é facilmente conhecido, pois ele não tem uma forma que possa ser percebida pelos sentidos. Ele é revelado pela mente capacitada para apreciá-lo, pois está presente em cada pensamento.

Kaṭha Upaniṣad 2.2.9

अग्निर्यथैको भुवनं प्रविष्टो रूपं रूपं प्रतिरूपो बभूव ।
एकस्तथा सर्वभूतान्तरात्मा रूपं रूपं प्रतिरूपो बहिश्च ।

agniryathaiko bhuvanaṁ praviṣṭo rūpaṁ
rūpaṁ pratirūpo babhūva ।

ekastathā sarvabhūtāntarātmā rūpaṁ
rūpaṁ pratirūpo bahiśca ||

Assim como o fogo, que é de natureza única no universo e assume várias formas mantendo a forma do objeto (ao qual ele está associado), da mesma forma é o Ātman, que é único, está em todos os seres e assume várias formas mantendo a forma do objeto. E está também do lado externo (do corpo).

Kena Upaniṣad 1.2

श्रोत्रस्य श्रोत्रं मनसो मनो यद् वाचो ह
वाचं स उ प्राणस्य प्राणः ।
चक्षुषश्चक्षुरतिमुच्य धीराः प्रेत्यास्माल्लोकादमृता भवन्ति ॥

śrotrasya śrotraṁ manaso mano yad vāco ha
vācaṁ sa u prāṇasya prāṇaḥ |
cakṣuṣaścakṣuratimucya dhīrāḥ
pretyāsmāllokādamṛtā bhavanti ||

É o ouvido do ouvido, a mente da mente, a fala da fala, o prāṇa do prāṇa, o olho do olho; os sábios, conhecendo e abandonando as noções errôneas, dando as costas para este mundo, tornam-se imortais.

2.21

तदर्थ एव दृश्यस्यात्मा ॥

tadartha eva dṛśyasyātmā ||

A natureza daquele que é percebido (o objeto) é exclusivamente para aquele (o sujeito).

tad-arthaḥ = para aquele, o sujeito • ***eva*** = exclusivamente • ***dṛśyasya*** = daquele que é percebido, o objeto • ***ātmā*** = a natureza

O universo tem como objetivo servir ao sujeito que o percebe; tudo existe para o sujeito e depende do sujeito.

Dṛśya, tudo aquilo que pode ser visto ou objetificado, não tem realidade nem função independente do sujeito. A natureza de um objeto é o fato de que ele pode ser conhecido e, portanto, depende do sujeito, o conhecedor. Os objetos são inertes por natureza e dependem da Consciência para iluminá-los, revelá-los. A Consciência, por sua vez, evidencia-se a si mesma, não depende de nada que a revele.

Os objetos são *nāma-rūpa*, nomes e formas, têm uma natureza de constante transformação e, assim, são indetermináveis, pois para definir qualquer objeto precisamos lançar mão de outro. Por exemplo, para definir uma mesa lançamos mão de sua forma (pés e tampo), de sua função (de cabeceira, de refeições) e do material do qual é feita (madeira, vidro). Por isso, um objeto é *mithyā*, não real. A Consciência é sempre a mesma, sempre presente e independente, chamada de *sat*, real. Evidentemente o não real, *mithyā*, depende do real, *sat*. Todo o universo depende de Consciência, que é *Puruṣa*.

2.22

कृतार्थं प्रति नष्टमप्यनष्टं तदन्यसाधारणत्वात् ॥

kṛtārthaṁ prati naṣṭamapyanaṣṭaṁ tadanyasādhāraṇatvāt ||

Com referência à pessoa que já alcançou o objetivo mais alto da vida, aquele (mundo de objetos) é morto, apesar de não [verdadeiramente] morto, pois continua sendo comum para todos os outros.

kṛta-artham = a pessoa que já alcançou o objetivo mais alto da vida • ***prati*** = com referência a • ***naṣṭam*** = é morto •

api = apesar de • ***anaṣṭam*** = não morto • ***tad-anya-sādhāraṇatvāt*** = pois continua sendo comum para todos os outros

Kṛtārtha é a pessoa que alcançou o mais alto objetivo da vida chamado de *parama-puruṣārtha*, que é o conhecimento de si mesmo como livre de limitação e, portanto, livre do sentimento de carência e desamparo.

No verso 15.20 da *Bhagavadgītā*, *Śrī Kṛṣṇa* diz que a pessoa é *kṛta-kṛtya*, o que *Śrī Śaṅkara* explica em seu comentário:

कृतं कृत्यं कर्तव्यं येन सः कृतकृत्यः ।

kṛtaṁ kṛtyaṁ kartavyaṁ yena saḥ kṛtakṛtyaḥ ।

O que deve ser feito é feito por alguém, esta pessoa é kṛtakṛtya.

Para essa pessoa que está satisfeita em si mesma, o mundo não é visto como um meio para tornar-se feliz; o mundo, que antes parecia ser o que faria a pessoa feliz, perde este aparente poder; por isso, é dito aqui que está como morto. Mas, ao mesmo tempo, não se pode dizer que está morto, pois essa pessoa vê o mesmo mundo, apesar de reconhecê-lo como não real, enquanto outras pessoas, além de o verem como real, ainda o consideram fonte de felicidade.

O sábio não perde de vista a realidade absoluta, *pāramārthika satyam*, enquanto os outros, não sábios, veem somente a realidade relativa, *vyāvahārika satyam*, e a consideram absoluta!

2.23

स्वस्वामिशक्त्योः स्वरूपोपलब्धिहेतुः संयोगः ॥

svasvāmiśaktyoḥ svarūpopalabdhihetuḥ saṁyogaḥ ||

A união entre o sujeito e o objeto é a causa da determinação da natureza [de ilusão da união].

sva-svāmi-śaktyoḥ = entre o sujeito e o objeto • ***svarūpa-upalabdhi-hetuḥ*** = a causa da determinação da natureza [de ilusão da união] • ***samyogaḥ*** = a união

Este *sūtra* tem origem no sutra 2.17, onde são usadas as palavras *saṁyogaḥ*, *heya* e *hetuḥ*, que aparecem também nos *sūtras* seguintes.

Devido à ignorância e à ilusão, os dois, sujeito e objeto, de naturezas opostas, são identificados. Não há de fato uma união entre eles, mas uma identificação, pois um parece assumir a natureza do outro. O sujeito, que é Consciência, é identificado com o corpo e com os pensamentos, que são objetos. Em *Advaita Vedānta*, a união entre os dois é meramente uma ilusão, que pelo questionamento, com a ajuda do meio de conhecimento que é *Vedānta*, é desfeita para que o sujeito seja entendido tal como é.

2.24

तस्य हेतुरविद्या ॥

tasya heturavidyā ||

A causa desta (união) é a ignorância.

tasya = desta • ***hetuḥ*** = causa • ***avidyā*** = ignorância

A causa da identificação entre o sujeito e o objeto é a ignorância de ambos. Porque essa associação não é real, só pode ser causada por engano e confusão, e o único meio para eliminá-la é o conhecimento. Neste *sūtra*, *Śrī Patañjali* mostra que é filho da tradição dos *Vedas*, ao dizer que a causa de todo o sofrimento é a ignorância. O sujeito já é pleno e livre da morte, mas sofre por se considerar limitado e infeliz, devido à ignorância relativa à sua natureza. É assim que a solução, a liberação de todo sofrimento, vem do conhecimento; não é um processo de transformação, tampouco de purificação!

Śrī Kṛṣṇa diz, no verso 6.23 da *Bhagavadgītā*, que *yoga* é a separação da união com o sofrimento, *duḥkha-saṁyoga-viyogaḥ* ।

2.25

तदभावात्संयोगाभावो हानं तद्दृशेः कैवल्यम् ॥

tadabhāvātsaṁyogābhāvo hānaṁ taddṛśeḥ kaivalyam ॥

Devido à ausência daquela (a ignorância), há a ausência da união; esta eliminação é a libertação do sujeito.

tad-abhāvāt = devido à ausência daquela • ***saṁyoga-abhāvaḥ*** = há a ausência da união • ***hānaṁ*** = eliminação • ***tad*** = esta ***dṛśeḥ*** = do sujeito • ***kaivalyam*** = a libertação

O que se deve fazer para alcançar *kaivalyam*, a libertação, é eliminar a ignorância que cria a identidade entre sujeito e objeto.

Antes foi dito que *kleśa*, o sofrimento, e sua causa, a ignorância, devem ser eliminados, *heya*. *Hāna* é a eliminação do sofrimento e de sua causa, é a libertação do sujeito. Esta ocorre somente na eliminação da visão equivocada.

Kaivalya se dá pela separação entre sujeito e objeto, a eliminação da ignorância através de conhecimento. Essa é a visão dos *Vedas*.

Como se libertar desta ignorância?

2.26

विवेकख्यातिरविप्लवा हानोपायः ॥

vivekakhyātiraviplavā hānopāyaḥ ॥

O conhecimento discriminativo, sem obstáculos,
é o meio para a eliminação [da ignorância e do erro].

viveka-khyātiḥ = o conhecimento discriminativo • ***aviplavā*** = sem obstáculos • ***hāna-upāyaḥ*** = o meio para a eliminação

Para destruir a identificação falsa entre o sujeito e o objeto, é necessário um meio, *upāya*. E esse meio é somente um - o conhecimento discriminativo livre de obstáculos.

Os obstáculos ao conhecimento são: a ignorância, a falta de clareza e o hábito do erro. Para resolver estes obstáculos, o verso 4.5.6 da *Bṛhadāraṇyaka Upaniṣad* diz:

श्रोतव्यः मन्तव्यः निदिध्यासितव्यः ।

śrotavyaḥ mantavyaḥ nididhyāsitavyaḥ ।

Deve-se escutar, questionar e contemplar sobre o Eu.

O processo de conhecer abrange o escutar, que elimina a ignorância; o refletir sobre o que foi escutado, que elimina a falta de clareza, as dúvidas; e o contemplar, que elimina o hábito de identificar equivocadamente o sujeito com o objeto.

O verso 2.2.8 da *Muṇḍaka Upaniṣad* diz:

भिद्यते हृदयग्रन्थिश्छिद्यन्ते सर्वसंशयाः ।
क्षीयन्ते चास्य कर्माणि तस्मिन् दृष्टे परावरे ॥ ८ ॥

bhidyate hṛdayagranthiśchidyante sarvasaṁśayāḥ |
kṣīyante cāsya karmāṇi tasmin dṛṣṭe parāvare ||

Quando a realidade é reconhecida, o nó do coração, a ignorância, é desfeito, todas as dúvidas são cortadas e as ações, eliminadas.

O conhecimento claro deve estar livre de obstáculos, de tudo o que o inibe. *Viplavā* é a palavra usada para obstáculo, que é confusão; e o conhecimento claro, *viveka-khyātiḥ*, é denominado de *aviplavā*, sem obstáculo, livre de confusão, enganos e dúvidas.

O maior obstáculo ao conhecimento claro é, sem dúvida, a ignorância que só poderá ser removida por seu oposto, o conhecimento. Mas não é tão simples quanto pode parecer, pois a mente tem que estar preparada - deve ser capaz de focar, de analisar de forma imparcial e corrigir a antiga orientação de identidade do Eu, constituída a partir de ignorância e confusão acerca de si mesmo.

2.27

तस्य सप्तधा प्रान्तभूमिः प्रज्ञा ॥

tasya saptadhā prāntabhūmiḥ prajñā ||

O conhecimento daquele (que possui conhecimento discriminativo) tem sete tipos de elevação máxima.

tasya = daquele (o *yogin* que possui conhecimento discriminativo) • ***saptadhā*** = sete tipos • ***prānta-bhūmiḥ*** = elevação máxima • ***prajñā*** = o conhecimento

A elevação máxima do conhecimento é *jñānaniṣṭhā*, a firmeza ou clareza do conhecimento do Eu. Neste momento, velhos *saṁskāras* de identificação do Eu com o corpo, a mente e o intelecto desaparecem.

A elevação máxima do conhecimento discriminativo que acontece em sete etapas é o conhecimento firme e claro. Aqui *Śrī Patañjali* não explica quais são essas sete etapas. Alguns comentaristas o fazem, porém não se pode saber o que exatamente *Patañjali* quis dizer. Supõe-se que parte da obra tenha se perdido com o tempo. Há aqui uma interpretação proposta por um mestre *yogin* sobre essas sete etapas.

Para começar existem quatro desejos úteis e naturais que têm que ser ultrapassados para a finalização do conhecimento:

1. *Jijñāsā* - o desejo de conhecer

Ao se iniciar essa busca pelo autoconhecimento, deve haver um forte desejo para a liberação e, a seguir, pelo conhecimento, que é reconhecido como o meio para a liberação. Quando o Eu é compreendido, constata-se que o que deve ser conhecido já foi conhecido e que não existe mais nada a ser conhecido; a pessoa não deseja saber mais e mais!

2. *Jihāsā* - o desejo de abandonar

No processo do estudo, o buscador precisa abandonar o desejo por objetos, por fama e conquistas; porém, quando a ignorância é deixada de lado, não há nada mais a ser abandonado. "O universo inteiro existe em mim" é o entendimento do sábio.

3. *Pretsā* - o desejo de alcançar

O desejo por alcançar diferentes coisas acompanha o ser humano. Esse desejo é importante, pois o instiga à ação e às conquistas na vida. Depois, o sábio entende que desejar é um privilégio, um poder de que a pessoa dispõe, mas que nada mais há para alcançar, pois a satisfação já foi alcançada.

4. *Cikīrṣā* - o desejo de agir

Porque existe o desejo por alcançar, existe o desejo por agir. Mas, depois da aquisição do autoconhecimento, o sábio entende que ele pode agir ou não e não possui mais a pressão de fazer ações para ser feliz. Ele considera que já fez tudo a ser feito.

Por fim, três estados mentais também são naturais e igualmente são superados:

5. *Śokaḥ* - a tristeza

Desses três fatores que ocupam a mente e se tornam habituais e repetitivos, o primeiro deles é a tristeza; o estado que a mente assume quando uma perda é experienciada.

No conhecimento do Ser livre de limitação, o universo é reconhecido como naturalmente mutável e limitado, tudo no mundo vem e vai, e a tristeza não faz mais sentido.

Diz *Śrī Kṛṣṇa*, no verso 2.27 da *Bhagavadgītā*:

जातस्य हि ध्रुवो मृत्युर्ध्रुवं जन्म मृतस्य च ।
तस्मादपरिहार्येऽर्थे न त्वं शोचितुमर्हसि ॥

jātasya hi dhruvo mṛtyurdhruvaṁ janma mṛtasya ca |
tasmādaparihārye'rthe na tvaṁ śocitumarhasi ||

Pois, para aquele que nasce, a morte é certa, e, para o morto, o nascimento é certo. Portanto você não deve ficar triste por um fato inevitável.

6. *Bhayaḥ* – o medo

O medo também é comum; o medo do desconhecido, o medo da morte, o medo de acontecer algo contrário aos nossos desejos. O sábio entende que tudo o que pode acontecer está no tempo, e o tempo depende da Consciência, que é livre do tempo, que é sempre presente. Ele entende: eu sou livre do tempo, livre de tudo; sou a verdade de tudo, até mesmo do medo!

E, como diz o verso 2.7.1 da *Taittiriya Upaniṣad*:

अथ सोऽभयं गतो भवति ।
यदा हि एव एष एतस्मिन् उदरं अन्तरं कुरुते ।
अथ तस्य भयं भवति ॥

atha so'bhayaṁ gato bhavati |
yadā hi eva eṣa etasmin udaram antaraṁ kurute |
atha tasya bhayaṁ bhavati ||

Ele se torna livre do medo. Quando uma pequena diferença é feita nele, existe o medo para ele.

7. *Vikalpaḥ* – a dúvida

Por fim, existem sempre muitas dúvidas ao longo do estudo; mas, com a ajuda da lógica que dá suporte ao ensinamento dos textos e dos mestres, as dúvidas se vão e em seu lugar fica a clareza de compreensão que é *jñānaniṣṭhā* ou *prāntabhūmiḥ prajñā*.

Conforme o verso 2.2.8 da *Muṇḍaka Upaniṣad*, veja o comentário para o *sūtra* 2.26.

Todas essas etapas são importantes. Ultrapassar cada uma delas significa aprofundar o conhecimento de si mesmo.

Como podem ser eliminados os obstáculos ou impedimentos para este conhecimento tão desejado?

2.28

योगाङ्गानुष्ठानादशुद्धिक्षये ज्ञानदीप्तिराविवेकख्यातेः ॥

yogāṅgānuṣṭhānādaśuddhikṣaye jñānadīptirāvivekakhyāteḥ ||

Quando a impureza é eliminada pela prática dos componentes do Yoga, [ocorre] o brilho do conhecimento até o conhecimento discriminativo.

yoga-aṅga-anuṣṭhānat = pela prática dos componentes do *Yoga* • ***aśuddhi-kṣaye*** = quando a impureza é eliminada • ***jñāna-dīptiḥ*** = o brilho do conhecimento • ***ā-viveka-khyāteḥ*** = até o conhecimento discriminativo

As impurezas, *aśuddhi*, são fatores que impossibilitam ou dificultam a clareza do entendimento. Esses impedimentos ou obstáculos estão localizados no corpo, na mente e no intelecto.

Śrī Patañjali não diz que o eu é impuro e tem que se purificar. As impurezas estão na mente e existem em relação à aquisição de conhecimento.

Quais são os membros do *Yoga*?

2.29

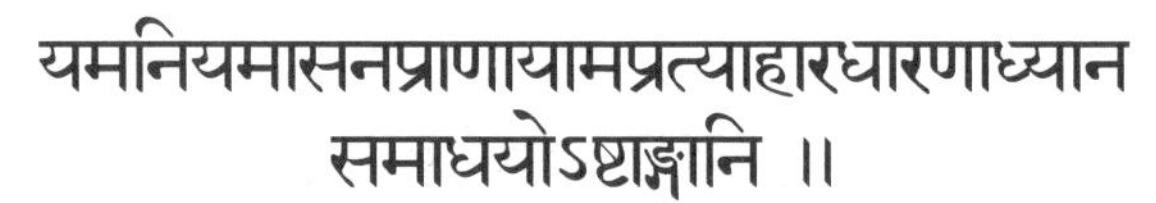

yamaniyamāsanaprāṇāyāmapratyāhāradhāraṇādhyāna-samādhayo'ṣṭāṅgāni ||

Os oito membros ou componentes são: yama, niyama, āsana, prāṇāyāma, pratyāhāra, dhāraṇā, dhyāna, samādhi.

yama-niyama-āsana-prāṇāyāma-pratyāhāra--dhāraṇā-dhyāna-samādhayaḥ = o controle de uma tendência natural, o que deve ser feito, posturas, exercícios respiratórios, concentração dos sentidos, concentração da mente, meditação, absorção • ***aṣṭa-aṅgāni*** = oito membros ou componentes

Patañjali usa a palavra *aṅga* referindo-se à disciplina diária a ser seguida para *aśuddhi-kṣaya*, a eliminação da impureza da mente para que se possa alcançar clareza do conhecimento, que é o objetivo do *Yoga*. *Aṅga* é um membro e *aṅgī* é o corpo que possui os membros. O corpo é o principal, enquanto os membros são secundários e dependem do corpo. O *sādhya*, o que se deseja alcançar, é a eliminação definitiva da causa de todo sofrimento, o *mūla-kleśa*, a ignorância; e a *sādhana*, o meio para isso, é *vrtti--nirodha*, o domínio da mente, alcançado através de uma vida diária que inclua esses oito membros, *aṣṭa-aṅga*.

Aṅga é um membro, não uma etapa ou um passo. *Aṣṭa--aṅga-yoga* é um estilo de vida que inclui oito membros; uma vida na qual o *dharma* é seguido e o autoconhecimento é o objetivo final.

O verso 2.3.11 da *Kaṭha Upaniṣad* enfatiza que *Yoga* é a concentração dos sentidos e da mente, sem que haja negligência, pois faz parte da vida diária. Deve-se ter atenção, pois a concentração está sempre sujeita a aparecer e desaparecer.

तां योगमिति मन्यन्ते स्थिरामिन्द्रियधारणाम् ।
अप्रमत्तस्तदा भवति योगो हि प्रभवाप्ययौ ॥

tām yogamiti manyante sthirāmindriyadhāraṇām ।
apramattastadā bhavati yogo hi prabhavāpyayau ॥

Os sábios consideram que a bem estabelecida firmeza dos sentidos e da mente é Yoga. Naquele momento a pessoa deve estar alerta e livre de negligência. Pois o Yoga está sujeito a elevação e declínio.

2.30

अहिंसासत्यास्तेयब्रह्मचर्यापरिग्रहा यमाः ॥

ahiṁsāsatyāsteyabrahmacaryāparigrahā yamāḥ ॥

Os yamas são: ahiṁsā (não causar dano), satya (a verdade), asteya (não roubar), brahmacarya (compromisso com a busca de Brahman), aparigraha (não acumular objetos).

ahiṁsā-satya-asteya-brahmacarya-aparigrahāḥ = não causar dano, a verdade, não roubar, compromisso com a busca de *Brahman*, não acumular objetos • ***yamāḥ*** = os *yamas*

Desde pequeno, o ser humano se sente impotente frente ao mundo e sob constante ameaça devido à visão de limitação de si mesmo. Há, por isso, uma necessidade urgente de proteger-se. Com esse intuito, o ser humano muitas vezes age de forma inadequada, agredindo e desrespeitando os outros. Porém esse tipo de atitude nasce da sensação de impotência e da urgência em se defender.

Yama é o controle de uma tendência que é natural, como partir para a agressão quando a pessoa se sente ameaçada. *Yama* é conter um impulso natural.

O ato de conter um impulso tem dois momentos em *Vedānta*. O primeiro é chamado de *dama*, que é a nível físico; como quando há o impulso de agredir alguém física ou verbalmente e seguramos a língua ou a mão já armada para bater. O segundo momento é denominado de *śama* e acontece quando não há ainda o impulso físico, mas a reação ocorre na mente. Para não reagir fisicamente, a pessoa tem que estar alerta ao que a irrita e aos impulsos sutis de reação, conseguindo freá-los antes que se manifestem fisicamente.

É natural que se queira atacar, agredir, quando a pessoa se sente agredida, desrespeitada, injustiçada por uma pessoa ou pelo mundo; *ahiṁsā* é não agredir, conter o impulso de agressão pelo entendimento de que há outros meios não violentos de autoproteção.

Não agredir de forma alguma, em nível físico, verbal ou mental, só é possível para um renunciante ou um *sādhu* (uma pessoa boa e possuidora de compaixão em relação a todos), pois ambos não lidam com o mundo em nível pessoal.

Satya é o compromisso com a verdade. É dizer a verdade e levar o outro a entender o que se considera verdadeiro, sem qualquer forma de engabelação. Pode-se não dizer algo, mas, ao dizer, que esteja de acordo com a verdade tal qual percebida pela pessoa e que também seja benéfico ao outro, dito de forma agradável, sem criar ondas de reação na mente do ouvinte.[3]

Asteya é não querer pegar o que não lhe é oferecido.

---

[3] *anudvegakaraṁ vākyaṁ satyaṁ priyahitaṁ (Bhagavadgītā 17.15).*

Brahmacarya é o compromisso com o estudo do absoluto *Brahman* e com uma vida que esteja de acordo com isso.

Aparigraha é viver de forma simples, sem o acúmulo de objetos; que seja uma vida confortável, mas sem excessos, em que se tenha relações de afeto com outros, porém sem controle ou apego a eles.

2.31

जातिदेशकालसमयानवच्छिन्नाः सार्वभौमा महाव्रतम् ॥

jātideśakālasamayānavacchinnāḥ sārvabhaumā mahāvratam ||

[Yama] é um grande compromisso em relação a todo mundo, independente de classe, país, tempo ou circunstância.

jāti-deśa-kāla-samaya-anavacchinnāḥ = independente de classe, país, tempo ou circunstância • ***sārvabhaumāḥ*** = em relação a todo o mundo • ***mahā-vratam*** = um grande compromisso

A prática de *yama* exige atenção a nossos impulsos e reações; essa prática se estende às várias áreas da vida, a todos os relacionamentos e ao dia a dia. É, portanto, um grande compromisso – *mahāvratam*.

2.32

शौचसन्तोषतपःस्वाध्यायेश्वरप्रणिधानानि नियमाः ॥

śaucasantoṣatapaḥsvādhyāyeśvarapraṇidhānāni niyamāḥ ||

Os niyamas são: śauca (pureza), santoṣa (contentamento), tapaḥ (ascese ou disciplina), svādhyāya (empenho no estudo), īśvara-praṇidhāna (entrega a Īśvara).

śauca-santoṣa-tapaḥ-svādhyāya-īśvara-praṇidhānāni = pureza, contentamento, ascese ou disciplina, empenho no estudo, entrega a *Īśvara* • ***niyamāḥ*** = os *niyamas*

Em *yama* temos uma lista de coisas que devem ser evitadas. Os *niyamas*, por outro lado, são disciplinas que devem ser realizadas com atenção e deliberação. A pureza externa, do corpo e do ambiente; o contentamento, um sorriso interior em relação ao que somos e ao que temos; o exercício de disciplina do corpo e da mente; estudo e cânticos védicos diários; a entrega do ego na apreciação do Todo, que é *Īśvara*.

O que fazer quando o pensamento não está de acordo com o valor intelectual? Qual é o segredo?

2.33

वितर्कबाधने प्रतिपक्षभावनम् ॥

vitarkabādhane pratipakṣabhāvanam ||

Quando há obstrução na forma de um pensamento contrário [a um valor intelectual, deve-se evocar] o pensamento oposto.

vitarka-bādhane = quando há obstrução na forma de um pensamento contrário • ***pratipakṣa-bhāvanam*** = o pensamento oposto

Quando surge na mente um pensamento que, se traduzido em ação, violará seu compromisso com os *yamas* e *niyamas*, deve-se evocar, então, deliberadamente, o pensamento contrário.

Pratipakṣa-bhāvana é o truque ensinado pela tradição védica para lidar com pensamentos opostos aos nossos valores. Qualquer pensamento pode tomar conta de nossa mente pela lei da associação de ideias. A ocorrência do pensamento não depende de nossa escolha, mas o que fazemos com ele, sim! Antes que ele se transforme em ação, seja ela física, oral ou mental, há algo que podemos fazer. Quando o pensamento não está de acordo com nossos valores intelectuais, podemos evocar a ideia contrária e neutralizar o pensamento. Isso é chamado de *pratipakṣa-bhāvana*, aqui ensinado por *Patañjali* e também mencionado por *Śrī Śaṅkara* no comentário ao verso 13.8 da *Bhagavadgītā*. A atitude de evocar o lado oposto será explicada no próximo *sūtra*.

2.34

वितर्का हिंसादयः कृतकारितानुमोदिता
लोभक्रोधमोहपूर्वका
मृदुमध्याधिमात्रा दुःखाज्ञानानन्तफला
इति प्रतिपक्षभावनम् ॥

vitarkā hiṁsādayaḥ kṛtakāritānumoditā
lobhakrodhamohapūrvakā mṛdumadhyādhimātrā
duḥkhājñānānantaphalā iti pratipakṣabhāvanam ||

"Pensamentos contrários, do tipo que causam danos, que a pessoa pode executar, levar alguém a executar ou permitir que outros executem; precedidos por cobiça, raiva, confusão mental; podem ser pequenos, médios ou intensos; seus resultados são sofrimento e ignorância infindáveis", [esse] é o pensamento oposto.

vitarkāḥ = pensamentos contrários • ***hiṁsā-ādayaḥ*** = do tipo que causam danos • ***kṛta-kārita-anumoditāḥ*** = que a pessoa pode executar, levar alguém a executar ou permitir que outros executem • ***lobha-krodha-moha-pūrvakāḥ*** = precedidos por cobiça, raiva, confusão mental • ***mṛdu-madhya-adhimātrāḥ*** = pequenos, médios ou intensos • ***duḥkha-ajñāna-ananta-phalāḥ*** = seus resultados são sofrimento e ignorância infindáveis • ***iti*** = aspas • ***pratipakṣa-bhāvanam*** = o pensamento oposto

Vitarkāḥ são pensamentos contrários aos valores intelectuais. São, por exemplo, pensamentos de agressão ou ofensa aos outros, que não são defendidos intectualmente pela pessoa, ou seja, que ela não considera atitudes adequadas.

Esses pensamentos são precedidos de cobiça, raiva e confusão mental, e podem ter uma força pequena, média ou intensa. A pessoa pode executá-los, levar alguém a fazê-lo ou somente permitir que outros o façam.

Os resultados das ações causadas por pensamentos contrários a seus valores intelectuais são sofrimento e ignorância sem fim. Somente quando esses pensamentos são observados e neutralizados por outros pensamentos haverá aprendizado, maturidade e fim dos sofrimentos.

Os *sūtras* seguintes, do 35 ao 45, relatam os efeitos secundários da observância dos *yamas* e *niyamas*.

Uma ação sempre produz resultados. Um é o resultado principal, *mukhya phala*, e outro é o secundário, *avāntara phala*. O resultado principal é a preparação da mente para o autoconhecimento; mas outros resultados, mesmo quando não são pretendidos, podem advir também. Eles são descritos a seguir. Sempre que poderes especiais, que podem ser adquiridos por disciplinas, são descritos, a intenção é que tomemos conhecimento deles, não de incentivar sua aquisição, pois o objetivo final é a liberação, não desenvolver poderes extraordinários.

Vale mencionar aqui um lindo *mantra* do *Sāma Veda*. A musicalidade do *Sāma Veda* é extraordinária e os *mantras* ficam gravados na mente; tanto o *mantra*, quanto seu significado.

Há um *mantra* no *Āraṇyaka-gānam* do *Sāma Veda*, que diz:

Setūn tara.
Setūn dustarān tara.
Akrodhena krodham tara.
Satyena anṛtam tara.
Śraddhayā aśraddhām tara.
Dānena adānam tara.

Atravesse as pontes.
Atravesse as pontes difíceis de serem atravessadas.
Atravesse a raiva com a ausência da raiva.
Atravesse o falso com a verdade.
Atravesse a ausência de confiança com a confiança.
Atravesse a incapacidade de dar com a doação.

Com essas palavras, o *Sāma Veda* nos diz como podemos ir além de nossas limitações e dificuldades. Com certeza é muito difícil ir além de nossas dificuldades, nossas resistências e barreiras internas. O instrumento para isso é evocar com esforço a atitude oposta à da dificuldade. E a evocação da atitude oposta é *pratipakṣa-bhāvanam*.

2.35

अहिंसाप्रतिष्ठायां तत्सन्निधौ वैरत्यागः ॥

ahiṁsāpratiṣṭhāyāṁ tatsannidhau vairatyāgaḥ ||

Na presença de uma pessoa estabelecida na não violência, [sobrevém] o abandono da hostilidade.

ahiṁsā-pratiṣṭhāyām = estabelecida na não violência • ***tat-sannidhau*** = na presença de uma pessoa • ***vaira-tyāgaḥ*** = abandono da hostilidade

Quando *ahiṁsā*, a não violência, é uma atitude natural, que não precisa de esforço ou atenção, não ocorre *vitarka*, o pensamento contrário. Devido à força da atitude natural de não violência que se estabelece, até os inimigos dessa pessoa abandonam sua hostilidade momentaneamente.

O comprometimento total com a não violência, nos níveis físico, verbal e mental, só é possível para um renunciante ou um verdadeiro *sādhu*, que vive para o bem de todos e acolhe todas as pessoas como são, sem possuir relacionamento pessoal com ninguém.

2.36

सत्यप्रतिष्ठायां क्रियाफलाश्रयत्वम् ॥

satyapratiṣṭhāyāṁ kriyāphalāśrayatvam ||

No estabelecimento da verdade, [sobrevém] o estado de se tornar a base para o resultado da ação.

satya-pratiṣṭhāyāṁ = no estabelecimento da verdade • ***kriyā-phala-āśrayatvam*** = o estado de ser a base para o resultado da ação

Quando uma pessoa chega ao ponto em que naturalmente fala a verdade, sem esforço de deliberação, acontece o que é chamado de *vāk siddhi*, o que a pessoa diz acontece, torna-se verdade.

2.37

अस्तेयप्रतिष्ठायां सर्वरत्नोपस्थानम् ॥

asteyapratiṣṭhāyāṁ sarvaratnopasthānam ||

No estabelecimento do não roubar, [sobrevém] a proximidade com todos os tesouros.

asteya-pratiṣṭhāyāṁ = no estabelecimento do não roubar • ***sarva-ratna-upasthānam*** = a proximidade com todos os tesouros

Ter proximidade com os tesouros quer dizer que a pessoa não passa necessidade, tudo o que ela precisa chega até ela.

Quando a pessoa normalmente não se apropria de algo que não lhe pertence, não deseja o que os outros possuem, ela não sofre carências ou necessidades.

2.38

ब्रह्मचर्यप्रतिष्ठायां वीर्यलाभः ॥

brahmacaryapratiṣṭhāyāṁ vīryalābhaḥ ||

No estabelecimento em brahmacarya,
[sobrevém] a aquisição de poder e força.

brahmacarya-pratiṣṭhāyām = no estabelecimento em *brahmacarya* • ***vīrya-lābhaḥ*** = a aquisição de poder e força

O estado de *brahmacarya* é a etapa da vida de dedicação total ao estudo de *Brahman*, com um professor capacitado, de viver uma vida simples, limitada ao essencial, e de seguir disciplinas. A dedicação e o compromisso dão à pessoa força interna e poder de alcançar o que deseja.

2.39

अपरिग्रहस्थैर्ये जन्मकथन्तासम्बोधः ॥

aparigrahasthairye janmakathantāsambodhaḥ ||

Na firmeza de não acumular objetos, [sobrevém] o conhecimento do que causou o nascimento.

aparigraha-sthairye = na firmeza de não acumular objetos • ***janma-kathantā-sambodhaḥ*** = o conhecimento do que causou o nascimento

Aparigraha é viver de forma simples, com o essencial, sem acumular objetos nem se preocupar com o futuro. Não significa viver sem nada, na rua, como um mendigo, mas sim livre da sensação de apego a pessoas e coisas; é saber que qualquer coisa que esteja em sua posse pode se perder ou se modificar e, mesmo assim, permanecer confortável.

Quando a pessoa alegremente vive o que vem para ela, com o mínimo de posses, sua mente se torna mais objetiva e ela consegue ver coerência nas situações que se apresentam para ela. Ela consegue perceber a relação de causa e efeito entre as situações e entender o que, em outra vida, a levou ao nascimento presente.

2.40

शौचात्स्वाङ्गजुगुप्सा परैरसंसर्गः ॥

śaucātsvāṅgajugupsā parairasaṁsargaḥ ||

Devido à pureza [externa], há indiferença em relação a seu próprio corpo [e] ausência de apego aos outros.

śaucāt = devido à pureza • ***svāṅga-jugupsā*** = indiferença em relação a seu próprio corpo • ***paraiḥ*** = aos outros • ***asaṁsargaḥ*** = ausência de apego

Em consequência da pureza física, a pessoa sente-se bem consigo mesma, aceitando seu corpo como é, e está livre da necessidade de aceitação e aprovação dos outros.

A identificação com o corpo e a preocupação com a aparência são comuns. Há naturalmente um apego ao corpo e um desejo de torná-lo diferente, de forma que a pessoa se sinta mais amada e aceita pelos outros. Devido à prática consciente do *nyama* da pureza externa, a limpeza e o cuidado com o corpo e o meio ao redor, nasce maior objetividade em relação ao próprio corpo e ao corpo dos outros.

A pessoa consegue ver seu corpo como ele é, consegue aceitá-lo como é. Com menor subjetividade em relação ao corpo, nasce um desapego em relação a ele, pois a pessoa consegue aceitar que é completa como é.

Há ausência de apego e de exigência em relação à aparência do corpo. Como a pessoa aceita a si mesma como é, não precisa da constante aprovação dos outros, o que é aqui mencionado como ausência de contato com os outros.

2.41

सत्त्वशुद्धिसौमनस्यैकाग्र्येन्द्रिय
जयात्मदर्शनयोग्यत्वानि च ॥

sattvaśuddhisaumanasyaikāgryendriya-
jayātmadarśanayogyatvāni ca ||

E, da pureza da mente, [nasce] a satisfação da mente,
a concentração, a conquista dos sentidos [e por fim]
a preparação para o autoconhecimento.

sattva-śuddhi-saumanasya-ekāgrya-indriya-jaya-ātma--darśana-yogyatvāni = da pureza da mente [nasce] a satisfação da mente, a concentração, a conquista dos sentidos [e por fim] a preparação para o autoconhecimento • ***ca*** = e

Tendo falado sobre a pureza externa, agora é a vez da pureza interna. *Sattva* é uma palavra muito usada para se referir à mente, *antaḥkaraṇa*; isso porque na mente predomina a característica de *sattva*, que promove conhecimento e discriminação. Os outros dois *guṇas* ou características são *rajas*, que promove movimento e ação, e *tamas*, que promove ausência de ação e de conhecimento.

Quando há pureza da mente, que é a capacidade de manter a mente em equilíbrio, *samatva*, sem pender para os extremos opostos, há, então, a atitude de satisfação na mente. A seguir, a mente consegue ficar focada num mesmo objeto sem se distrair; isto conduz à conquista dos sentidos. Isso tudo é a preparação para o conhecimento do Eu. Cada uma dessas qualificações advém da anterior e tem origem na purificação da mente.

Os sentidos oferecem informações sobre os objetos do mundo, então a mente responde com desejo, repulsa ou indiferença. Se a mente consegue se manter calma e satisfeita, há pureza da mente, que é o preparo necessário para o conhecimento do Eu. A mente deve se manter em equilíbrio e satisfeita, apesar da mutabilidade dos objetos que entram constantemente em contato com a mente através dos sentidos. Evitar o contato dos sentidos com os objetos não é a solução, mas sim conseguir que a mente mantenha-se em equilíbrio, apesar da diversidade dos objetos e do interesse ou desinteresse que ela possa ter por eles.

2.42

सन्तोषादनुत्तमः सुखलाभः ॥

santoṣādanuttamaḥ sukhalābhaḥ ||

Do contentamento, advém o ganho de incomparável felicidade.

santoṣāt = do contentamento • ***anuttamaḥ*** = incomparável • ***sukha-lābhaḥ*** = o ganho de felicidade

A pureza da mente, mencionada no *sūtra* anterior, leva ao contentamento e traz o sentimento de que se é abençoado frente à vida. Isso é *santoṣa*.

Quando há *santoṣa*, o contentamento ou a satisfação consigo mesmo, a mente encontra um equilíbrio, sem euforia nem depressão. Com a chegada de coisas desejadas ou não, não há a sensação de excitação nem de frustração. A pessoa é capaz de se distanciar um pouco das situações, olhá-las e lidar com elas – isso é objetividade. Também consegue estabelecer um distanciamento de pessoas ou situações que podem afetá-la. A satisfação consigo mesmo torna-se natural e advém daí uma felicidade incomparável, que não depende de objetos nem pessoas.

2.43

कायेन्द्रियसिद्धिरशुद्धिक्षयात्तपसः ॥

kāyendriyasiddhiraśuddhikṣayāttapasaḥ ||

Da disciplina que destrói a impureza,
[advém] o comando sobre o corpo e os órgãos.

kāya-indriya-siddhiḥ = o comando sobre o corpo e os órgãos • ***aśuddhi-kṣayāt*** = que destrói a impureza • ***tapasaḥ*** = da disciplina

Tapas são disciplinas, na forma de votos ou decisões que negam a você mesmo alguma coisa de que você gosta. Através da disciplina nasce o poder de lidar com os pequenos sofrimentos da vida diária, aqui chamados de impureza.

Tapas, mencionado no *sūtra* 2.1 e depois no 2.32, aparece também no capítulo 17 da *Bhagavadgītā*. Significa disciplina, ter a capacidade de dominar os impulsos dos sentidos e órgãos de ação.

Evitar algo de que se gosta muito, se negar algo, torna-se uma disciplina para o autoconhecimento quando esse é o objetivo maior na vida da pessoa.

A disciplina destrói a impureza, que é *kleśa*, o sofrimento que atormenta a pessoa. Da disciplina, a pessoa alcança domínio sobre o corpo e os sentidos. O corpo, os sentidos e a mente são instrumentos e, como tais, devem permanecer sob o comando da própria pessoa.

2.44

स्वाध्यायादिष्टदेवतासम्प्रयोगः ॥

svādhyāyādiṣṭadevatāsamprayogaḥ ||

Do estudo, [advém] a união com a forma divina predileta.

svādhyāyāt = do estudo • ***iṣṭa-devatā-samprayogaḥ*** = a união com a forma divina predileta

O estudo dos *Vedas* conduz à compreensão da identidade do indivíduo com o Todo e leva à percepção de que o Criador é a causa e a manifestação do universo - que inclui você.

Devatā é um aspecto de *Īśvara*. Nossa mente não consegue conceber a totalidade que é *Īśvara*, então os *Vedas* nos apresentam aspectos do Todo, descrevem características desses aspectos e lhes dão uma forma simbólica para que possamos visualizar e, então, nos relacionar com *Īśvara*. Relacionamo-nos com *Īśvara* através dos muitos aspectos, chamados de *devatās* - ou de *deva*, na forma masculina, e *devī*, na forma feminina. Um aspecto é uma forma, como o responsável pela criação, pela manutenção ou pela transformação do universo; ou ainda o conhecimento, a riqueza, o poder, a proteção, a coragem. Mas é comum nos identificarmos mais com uma forma ou outra, e esta se torna nossa *iṣṭa-devatā*, nossa forma preferida.

À medida que entendemos a natureza de *Īśvara* e nossa relação com ele, conseguimos apreciar mais profundamente a nossa *iṣṭa-devatā* e o fato de não estarmos separados um do outro. Uma forma específica não limita *Īśvara*, é somente um instrumento para sua visualização, um símbolo dele. Uma imagem, ou *vigraha*, de *Ganeśa*, por exemplo, é uma forma simbólica dada ao Absoluto para nos ajudar a entendê-lo.

2.45

समाधिसिद्धिरीश्वरप्रणिधानात् ॥

samādhisiddhirīśvarapraṇidhānāt ||

Da entrega a Īśvara, [advém] a conquista de total absorção.

samādhi-siddhiḥ = a conquista de total absorção • **īśvara-praṇidhānāt** = da entrega a *Īśvara*

Entregar significa ceder, abrir mão da resistência, da não aceitação. *Īśvara* é a causa da criação e as leis que mantêm o universo funcionando. Eu, o indivíduo, sou um produto da criação, sou criado. Trata-se de uma visão comum considerar criador, criatura e criação como diferentes e separados. A entrega a *Īśvara* é a compreensão de que não estamos separados nem somos diferentes dele. Existe uma resistência à apreciação do Todo único devido à nossa sensação de separação, de individualidade. Quando percebemos a realidade única, que é *Īśvara*, que é *jīva* e que inclui todo o universo, abrimos mão de nossa resistência às leis do universo, da exigência de como o universo deve ser.

Por fim, devido ao entendimento e à consequente entrega a *Īśvara*, há *samādhi siddhi*, a capacidade de se manter firme na visão da identidade entre *jīva* e *Īśvara*. Quando os dois se tornam um em nosso entendimento, pois na realidade já são um, o momento da percepção da não dualidade é chamado de *samādhi*. Ser capaz de manter essa visão, apesar da percepção da dualidade, é *samādhi-siddhi*.

Os outros membros do *Yoga* são apresentados.

2.46

स्थिरसुखमासनम् ॥

sthirasukhamāsanam ||

Āsana é a postura firme e confortável.

sthira-sukham = firme e confortável • ***āsanam*** = postura

Depois de *yamas* e *niyamas*, o próximo membro do *aṣṭāṅga* é *āsana*, a postura, que deve ser firme e confortável.

Āsana é definido como: *āste anena iti āsanam*. Aquilo através do qual se senta é postura.

Através da prática de *āsana*, uma postura física, a mente também é trabalhada. As *āsanas* trabalham para a flexibilidade do corpo e também para a compreensão com relação às emoções, para a atitude de coragem e objetividade frente à vida, para a confiança ao enfrentar situações inesperadas. Essas práticas de *aṣṭāṅga*, desde *yama* até *samādhi*, capacitam a pessoa para a meditação.

Tanto para escutar o ensinamento quanto para meditar e contemplar, é muito importante poder manter-se sentado por um período de tempo sem desconforto. É dito que o tempo que se consegue permanecer concentrado é de um *muhūrta*, 48 minutos. Durante esse período, o corpo deve conseguir ficar sentado de forma confortável. Para isso, deve ter flexibilidade e força.

Uma lista de 12 *āsanas* é mencionada no comentário de *Vyāsa* ao *Yoga Sūtra*.

Essas são:

1. *padmāsana*
2. *vīrāsana*
3. *bhadrāsana*
4. *svastikāsana*
5. *daṇḍāsana*
6. *sopāśrayāsana*
7. *paryaṅkāsana*
8. *krauñcaniṣadanāsana*
9. *hastiniṣadanāsana*
10. *uṣṭraniṣadanāsana*
11. *samasaṁsthānāsana*
12. *sthirasukha* ou *yathāsukhāsana*

2.47

प्रयत्नशैथिल्यानन्तसमापत्तिभ्याम् ॥

prayatnaśaithilyānantasamāpattibhyām ||

Através da meditação no Ilimitado e da diminuição das atividades [há a conquista da postura confortável e firme].

prayatna-śaithilya-ananta-samāpattibhyām = através da meditação no Ilimitado e da diminuição das atividades

Conquistar uma postura não é um mero exercício para a saúde. Trata-se de algo cujo objetivo é a meditação. Diminuir as atividades é ocupar o tempo principalmente com o ato de sentar para meditar, de forma que a agitação da vida diária torne-se menor.

Há uma tendência natural de agitação do corpo, especialmente devido à agitação da mente. As agitações se devem aos impulsos naturais de se movimentar, viajar, realizar, conquistar; esses impulsos levam a pessoa a agir. Mesmo estando parada num lugar, a pessoa agita mãos, pernas, pés, o olhar etc. Essa agitação do corpo, que tem origem na mente, pode ser diminuída através da prática diária de meditação, que aquieta a agitação da vida diária.

E agora o resultado secundário.

2.48

ततो द्वन्द्वानभिघातः ॥

tato dvandvānabhighātaḥ ||

Disto, não [advém] a perturbação causada pela dualidade.

tataḥ = disto • ***dvandva-anabhighātaḥ*** = não [advém] a perturbação causada pela dualidade

Conquistar as posturas livra o *yogin* da perturbação causada pelos pares de opostos que em geral assolam a mente.

O resultado secundário da conquista da postura firme e confortável é que a pessoa, ao aprender a permanecer por algum tempo na mesma postura, desenvolve a capacidade mental de permanecer firme frente aos pares de opostos - seja frio ou calor, situações agradáveis ou desagradáveis. E, assim, a dualidade não é mais um problema na vida diária.

2.49

तस्मिन् सति श्वासप्रश्वासयोर्गतिविच्छेदः प्राणायामः ॥

tasmin sati śvāsapraśvāsayorgativicchedaḥ prāṇāyāmaḥ ||

Quando esta (a conquista da postura) acontece,
[deve haver a prática de] prāṇāyāma, que é a regulação
do caminho de inspiração e expiração.

tasmin sati = quando esta (a conquista da postura) acontece • ***śvāsa-praśvāsayoḥ*** = de inspiração e expiração • ***gati-vicchedaḥ*** = regular o caminho • ***prāṇāyāmaḥ*** = exercícios respiratórios

Mais sutil do que dominar o corpo físico com uma postura é o comando sobre a respiração. *Prāṇāyāma*, os exercícios de respiração para regular o *prāṇa*, a atividade fisiológica do corpo, são muito eficazes para ajudar a lidar com a mente.

Śrī Ramaṇa Maharṣi nos explica o porquê, em seu *Upadeśa-sāraṁ*, versos 11 e 12.

वायुरोधनाल्लीयते मनः जालपक्षिवद्रोधसाधनम् ॥

vāyurodhanalliyate manah jalapaksivadrodhasadhanam ||

A mente torna-se absorta através da disciplina de respiração; este é o meio para controlar a mente, assim como a rede para um pássaro.

चित्तवायवश्चित्क्रियायुताः शाखयोर्द्वयी शक्तिमूलका ॥

cittavāyavaścitkriyāyutāḥ śākhayordvayī śaktimūlakā ||

A mente e a respiração estão relacionadas com conhecimento e ação. Esse par de galhos tem como raiz o poder de criação.

Existe uma ligação entre a respiração e a mente; como disciplinar a mente é mais difícil, ao disciplinarmos a respiração, a mente será beneficiada.

Gati é um caminho, aqui o mestre *Patañjali* fala sobre os caminhos de inspiração e expiração, que são naturais. Os exercícios de *prāṇāyāma* interferem nos caminhos naturais do processo de respiração; seja a inspiração, a expiração ou a retenção, com o pulmão cheio ou vazio; diminuindo, aumentando ou suspendendo a duração de um desses processos.

Três tipos de *prāṇāyāmas* são descritos.

2.50

बाह्याभ्यन्तरस्तम्भवृत्तिर्देशकालसंख्याभिः
परिदृष्टो दीर्घसूक्ष्मः ॥

bāhyābhyantarastambhavṛttirdeśakālasaṅkhyābhiḥ
paridṛṣṭo dīrghasūkṣmaḥ ||

[O prāṇāyāma] tem os movimentos: externo, interno e de suspensão; é medido por lugar (quão longe vai o ar), tempo (sua duração) e número (a multiplicação de medidas de tempo); é longo e sutil.

bāhyābhyantarastambhavṛttiḥ = tem os movimentos: externo, interno e de suspensão • ***deśakālasaṅkhyābhiḥ*** = por lugar, tempo e número • ***paridṛṣṭaḥ*** = é medido • ***dīrgha-sūkṣmaḥ*** = longo e sutil

O processo da respiração tem três momentos - expiração, inspiração e suspensão, chamados de *recaka*, *pūraka* e *kumbhaka*. Pode-se suspender a respiração com os pulmões cheios, *antarkumbhaka*, ou com os pulmões vazios, *bāhyakumbhaka*. Cada um desses três movimentos, *vṛtti*, é analisado com relação a *deśa* (lugar), *kāla* (tempo) e *saṅkhyā* (número).

O lugar pode ser medido com uma gaze fina colocada à frente do nariz. A medida do tempo é feita através da repetição mental da sílaba *Om*; seja 10, 20 ou 30 vezes, marcando a duração. E a medida de número é de quantos ciclos respiratórios são feitos.

Com a prática, o *prāṇāyāma* pode se tornar longo e sutil.

2.51

बाह्याभ्यन्तरविषयाक्षेपी चतुर्थः ॥

bāhyābhyantaraviṣayākṣepī caturthaḥ ||

O quarto [tipo de prāṇāyāma] é aquele que transcende os movimentos externo e interno.

bāhya-abhyantara-viṣaya-ākṣepī = aquele que transcende os movimentos externo e interno • ***caturthaḥ*** = o quarto

Quando o *prāṇāyāma* é conquistado, ele se torna sutil e sem esforço, sem a necessidade de prestar atenção à respiração, ao lugar, ao tempo ou ao número.

Depois de algum tempo de prática, não há mais esforço, seja interno ou externo, e o *prāṇāyāma* se torna imperceptível, este é o quarto tipo de *prāṇāyāma*.

No início da prática de *prāṇāyāma* são necessários muita atenção e cuidado. É dito que não se deve se aventurar nessa prática sem a orientação segura e constante de um professor que já tenha praticado e possua capacidade de ensinar.

Um dos vários resultados do
***prāṇāyāma* é descrito a seguir.**

2.52

ततः क्षीयते प्रकाशावरणम् ॥

tataḥ kṣīyate prakāśāvaraṇam ||

Através disto (da prática de prāṇāyāma),
aquilo que encobre a capacidade de percepção desaparece.

tataḥ = através disto (da prática de *prāṇāyāma*) • ***kṣīyate*** = desaparece • ***prakāśa-āvaraṇam*** = aquilo que encobre a capacidade de percepção

O resultado da prática de *prāṇāyāma* é a eliminação daquilo que encobre a mente.

É dito: *prakāśasya sattvasya āvaraṇāṁ tamaḥ.* O que encobre a clareza da mente é a qualidade *tamas*, na forma de sono, preguiça e procrastinação. Dizem os *yogins* que a disciplina de *prāṇāyāma* elimina a tendência da mente para esses três.

2.53

धारणासु च योग्यता मनसः ॥

dhāraṇāsu ca yogyatā manasaḥ ||

E [daí resulta] a capacitação da mente na concentração.

dhāraṇāsu = na concentração • ***ca*** = e •
yogyatā = a capacitação • ***manasaḥ*** = da mente

Outro resultado da prática de *prāṇāyāma* é a capacidade de concentração da mente. A mente tomada por *rajoguṇa* fica agitada e aquela tomada por *tamoguṇa* fica preguiçosa. Através da prática de *prāṇāyāma*, a mente fica alerta e apta à concentração, *dhāraṇā*.

2.54

स्वविषयासम्प्रयोगे चित्तस्य स्वरूपानुकार
इवेन्द्रियाणां प्रत्याहारः ॥

svaviṣayāsamprayoge cittasya svarūpānukāra
ivendriyāṇāṁ pratyāhāraḥ ||

O recolhimento dos sentidos [acontece] quando não há contato com seus respectivos objetos; como se houvesse para os sentidos o seguir a natureza da mente.

svaviṣaya-asamprayoge = quando não há contato com seus respectivos objetos • ***cittasya*** = da mente • ***svarūpa-anukāraḥ*** = o seguir a natureza • ***iva*** = como se houvesse • ***indriyāṇāṁ*** = dos/para sentidos • ***pratyāhāraḥ*** = o recolhimento

Pratyāhāra é o quinto membro da disciplina óctupla chamada *aṣṭāṅga*, que tem como objetivo o *samādhi*, ou a apreciação da realidade única, a verdade do indivíduo e de *Īśvara*.

Āhāra é alimento. Os cinco sentidos são constantemente alimentados por seus respectivos objetos. O sentido vai até o objeto, captura sua forma e a imprime na mente, dando-se assim a percepção do respectivo objeto. Em *prati-āhāra*, os sentidos se colocam em oposição aos objetos que são seu alimento, *āhāra*.

Mas, quando os sentidos são impedidos de ir a seus objetos, eles parecem permanecer na mente, tomando a sua forma. É dito que os sentidos tornam-se um com a mente e, assim, não a perturbam com suas informações, que promovem fantasias. Pois, como diz *Śrī Kṛṣṇa* no verso 2.60 da *Bhagavadgītā*, os sentidos podem dispersar e agitar a mente.

यततो ह्यपि कौन्तेय पुरुषस्य विपश्चितः ।
इन्द्रियाणि प्रमाथीनि हरन्ति प्रसभं मनः ॥

yatato hyapi kaunteya puruṣasya vipaścitaḥ |
indriyāṇi pramāthīni haranti prasabhaṁ manaḥ ||

Pois os turbulentos órgãos dos sentidos, mesmo daquele que se esforça e tem discriminação, roubam com força a mente, ó Kaunteya!

2.55

ततः परमा वश्यतेन्द्रियाणाम् ॥

tataḥ paramā vaśyatendriyāṇām ||

Disso (da prática de pratyāhāra), advém um comando maior sobre os sentidos.

tataḥ = disso (da prática do recolhimento dos sentidos) • ***paramā*** = maior • ***vaśyatā*** = um comando • ***indriyāṇām*** = sobre os sentidos

Da prática de *pratyāhāra*, o recolhimento dos sentidos, advém o comando sobre os sentidos. As cinco práticas do *aṣṭāṅga* e seus respectivos resultados foram mencionados. Faltam os outros três membros do *Yoga* - *dhārana*, concentração, *dhyāna*, meditação, e *samādhi*, absorção. Esses três, chamados de disciplinas internas, serão tratados no próximo capítulo.

Com este verso termina o capítulo 2, chamado "*Sādhana-pādaḥ*", que fala sobre as disciplinas e seus resultados.

तृतीयोऽध्यायः

tṛtīyo'dhyāyaḥ

TERCEIRO CAPÍTULO

विभूति पादः

vibhūti-pādaḥ

AS CONQUISTAS

Os capítulos 3 e 4 são herméticos, difíceis de serem entendidos. As traduções e explicações aqui apresentadas são uma tentativa de conectar esses *sūtras* à tradição de *Advaita Vedānta*.

No terceiro capítulo, *Śrī Patañjali* trata dos três últimos *aṅgas*, ou membros, do *Yoga*. *Dhāraṇa*, a concentração, *dhyāna*, a meditação, e *samādhi*, a absorção, são conjuntamente chamados de *saṁyama*. Os três constituem o processo natural de meditação, que deve ser seguido diariamente como uma das práticas essenciais de uma vida de *Yoga*.

Todos os dias, o *yogin* ou a *yoginī* deve se sentar e concentrar a mente no propósito de meditar, deixando os objetos externos permanecerem externos. Deve seguir a prática de meditação, conforme foi ensinada por um professor qualificado, para conduzir a mente ao *samādhi*, que é a percepção da realidade única de tudo o que existe.

O mestre *Patañjali* alerta que, através da prática de *saṁyama*, vários *siddhis*, ou poderes, podem ser adquiridos. Esses muitos e possíveis poderes são descritos neste capítulo. Apesar de tentadores, o *yogin* deve deixá-los de lado e, com esforço e dedicação, manter o foco no objetivo da liberação, chamado de *kaivalya* ou *mokṣa*.

Os oito poderes mais conhecidos são:[1]

- *aṇimā* - poder de assumir um tamanho pequeno;
- *mahimā* - poder de assumir um tamanho muito grande;
- *laghimā* - poder de se tornar leve;
- *garimā* - poder de se tornar pesado;
- *prāpti* - capacidade de conseguir coisas muito difíceis de alcançar;
- *prākāmyam* - ter uma vontade muito forte;
- *vaśitvam* - controle sobre o movimento dos objetos;
- *īśitṛtvam* - domínio completo sobre o corpo e os sentidos e a capacidade de criar e destruir objetos.

Patañjali termina o capítulo dizendo que os *siddhis*, poderes, aqui chamados de *vibhūtis*, conquistas especiais, são obstáculos para a liberação. Ao adquirir um pequeno poder que seja, o *yogin* não consegue deixá-lo de lado e se apega a ele. Trata-se de algo difícil de descartar, pois o *yogin* se orgulha de suas conquistas e se deleita na admiração e importância recebidas dos outros devido a elas. Com isso, o ego é fortalecido e o *yogin* se esquece de sua busca pela liberação e pelo autoconhecimento, perdendo-se no caminho do *Yoga* e se apegando mais e mais ao ego e a suas conquistas. Assim, ele deixa de lado, e até mesmo esquece por completo, o propósito original da disciplina da mente para o autoconhecimento. Que grande perda para o *yogin*! É por isso que o mestre *Patañjali*, com carinho, toma

[1] *Śrī Śankarācārya*, no comentário ao verso 1.2.11 da *Kaṭha Upaniṣad*, menciona "os poderes como *aṇimā* etc.".

para si o trabalho de alertar os *yogins* para esse perigo com as palavras deste capítulo.

3.1

देशबन्धश्चित्तस्य धारणा ॥

deśabandhaścittasya dhāraṇā ||

Concentração é o ato de fixar a mente em um lugar.

deśa-bandhaḥ = o ato de fixar em um lugar • ***cittasya*** = a mente • ***dhāraṇā*** = concentração

Fazer a mente ficar em um mesmo lugar é o exercício de concentração. Não se trata somente de fixá-la em um ponto, mas de estabilizá-la em um assunto como exercício. A mente pode focar um ponto, como o ponto entre as sobrancelhas, no coração, no topo da cabeça. Através deste exercício de firmar a mente, ela pode aprender a se libertar da agitação, caracterizada por *rajoguṇa*. Antes foi dito que, através do *prāṇāyāma*, pode-se aprender a se libertar da sonolência, que é *tamoguṇa*. A concentração é o primeiro poder alcançado pela mente, mencionado aqui por *Patañjali* ao introduzir o capítulo sobre os poderes.

A mente é comparada a um macaco que constantemente pula de galho em galho e cuja atenção está sempre virada para todos os lados. Com o exercício de concentração, a mente converte-se num macaco domesticado quando lhe oferecemos algo com que se ocupar. Caso contrário, ela pula de pensamento em pensamento, em constante agitação. Ela deve aprender a se ocupar com uma direção determinada. O exercício de concentração disciplina a mente, possibilitando a meditação, como diz *Śrī Kṛṣṇa* no verso 6.26 da *Bhagavadgītā*:

> यतो यतो निश्चरति मनश्चञ्चलमस्थिरम् ।
> ततस्ततो नियम्यैतदात्मन्येव वशं नयेत् ॥
>
> *yato yato niścarati manaścañcalamasthiram* |
> *tatastato niyamyaitadātmanyeva vaśaṁ nayet* ||
>
> *Seja qual for a razão pela qual a mente inconstante e sempre em movimento se disperse, que a pessoa, afastando a mente dessa razão, traga-a de volta sob seu controle.*

A mente, que é agitada e está em constante movimento, se dispersa do objeto de seu foco; tendo se afastado desse objeto, deve sempre ser conduzida de volta, permanecendo no Ser absoluto, foco de sua meditação.

3.2

तत्र प्रत्ययैकतानता ध्यानम् ॥

tatra pratyayaikatānatā dhyānam ||

Lá [na concentração], o fluxo contínuo de pensamento é a meditação.

tatra = lá • ***pratyaya-ekatānatā*** = o fluxo contínuo de pensamento • ***dhyānam*** = meditação

Sentado para meditar, o *yogin* percebe que, no início, a mente se distrai com os objetos externos, depois com os internos, e só então consegue se concentrar. A seguir, ela foge do foco da meditação, depois se aquieta e pode ser que o *yogin* veja tudo escuro ou uma luz. Então a mente pode se cansar e dormir, ou novamente se concentrar no assunto da meditação. Por fim, alcança uma paz. Essas são as transformações pelas quais a mente pode passar. As tendências de distração são controladas por esforço contínuo por parte do *yogin*. Só então há uma mudança, que é a capacidade mental de controlar essas tendências. Assim ocorre a mudança no controle da mente.

Faz parte do processo da meditação descobrir uma postura, *āsana*, em que se possa ficar sentado por algum tempo. A seguir vem *pratyāhāra*, recolher os sentidos dos objetos. Observar o ambiente ao redor e deliberadamente "deixar os objetos externos externos", conforme o verso 5.27 da *Bhagavadgītā*. Depois, vem *dhārana*, o foco da mente no que está sendo feito, sem deixar a mente se dispersar com pensamentos sobre o que passou ou ainda está por acontecer. E, todas as vezes que a mente se dispersar, ela deve ser trazida de volta, como diz o mestre *Kṛṣṇa* no verso 6.25 da *Bhagavadgītā.*

De forma a relaxar o corpo e a mente para este momento especial, observamos nosso corpo, tentando relaxar cada parte observada. Em seguida, passamos ao *prāṇa-vikṣaṇa*, a observação da respiração. Por fim, podemos entrar na meditação. Esta pode ser a repetição de um mesmo *mantra*, chamada *japa-dhyāna*. Através do *mantra* usado em *japa*, reverencia-se mentalmente o universo que é um todo, um corpo cósmico único, do qual a pessoa, como indivíduo, faz parte. Nessa visão apreciativa existe um maior relaxamento e, como consequência, a aceitação da própria pessoa.

Outra forma de meditação pode ser cantar um *mantra* observando o silêncio entre cada repetição, que é ao mesmo tempo a base dos *mantras* e dos pensamentos. Esse silêncio é a base da mente, está sempre presente, é a natureza imutável do Eu. Permaneça neste silêncio que é a paz, e aprecie: eu sou a paz. Não é que a meditação lhe traga paz, mas você consegue perceber que é a paz que está sempre presente.

Meditar exige um determinado objeto, *dhyeya-vastu*.

Quando esse objeto é o Eu, *Ātman*, denominamos contemplação. A contemplação ocorre após escutarmos o ensinamento sobre o *Ātman* e refletirmos sobre o que foi escutado. Na contemplação evocamos uma parte do ensinamento que foi escutado, na forma de uma frase ou uma palavra, e apreciamos a verdade do Eu.

Śrī Kṛṣṇa, ao ensinar sobre meditação no capítulo 6 da *Bhagavadgītā*, explica que meditar não é uma ação isolada, mas um estilo de vida. A meditação será naturalmente possível quando a mente é meditativa. Para tanto, *Kṛṣṇa* descreve o estilo de vida, chamado de *Yoga* ou vida meditativa, em que a mente aprende a estar atenta e disciplinada, sem tensão. Isto porque só temos uma mente. Se ela funciona durante todo o dia dispersa e mecanicamente, impulsionada só por desejos e distrações, é essa mesma mente que levamos para o momento de meditação. E essa mente não conseguirá meditar, pois não tem o hábito de ficar focada num mesmo assunto nem de ser redirecionada de seu objeto de distração momentânea para outro mais importante.

No capítulo 6 da *Bhagavadgītā*, *Śrī Kṛṣṇa* nos oferece um vasto ensinamento sobre *dhyāna*, a meditação. Neste capítulo, nos versos 5, 6 e 7, encontramos o segredo para o iniciante:

उद्धरेदात्मनात्मानं नात्मानमवसादयेत् ।
आत्मैव ह्यात्मनो बन्धुरात्मैव रिपुरात्मनः ॥

uddharedātmanātmānaṁ nātmānamavasādayet |
ātmaiva hyātmano bandhurātmaiva ripurātmanaḥ ||

Que o indivíduo se eleve por si mesmo. Que ele não se afunde.
Pois ele mesmo é seu amigo, ele mesmo é seu inimigo.

बन्धुरात्मात्मनस्तस्य येनात्मैवात्मना जितः ।
अनात्मनस्तु शत्रुत्वे वर्तेतात्मैव शत्रुवत् ॥

bandhurātmātmanastasya yenātmaivātmanā jitaḥ ।
anātmanastu śatrutve vartetātmaiva śatruvat ॥

O eu é amigo de si mesmo para quem conquistou a si mesmo por si mesmo. Mas, para quem não dominou a si mesmo, o eu permanece na forma de um inimigo, exatamente como um inimigo externo.

जितात्मनः प्रशान्तस्य परमात्मा समाहितः ।
शीतोष्णसुखदुःखेषु तथा मानापमानयोः ॥

jitātmanaḥ praśāntasya paramātmā samāhitaḥ ।
śītoṣṇasukhaduḥkheṣu tathā mānāpamānayoḥ ॥

O Ser ilimitado está evidente pelo entendimento claro para aquele que conquistou a si mesmo, cuja mente é calma, e que se mantém.

Nossa mente é o que temos de mais precioso, mais ainda do que o próprio corpo. Ela deve ser nossa amiga, colaborando para que possamos alcançar o objetivo maior da vida, a felicidade sem exigências. A mente é um instrumento de percepção do mundo, de conhecimento, de emoções e memórias; como um instrumento, ela deve estar em nossas mãos. Se ela é nossa inimiga, nem precisamos de um inimigo externo; ela será o suficiente para causar nosso sofrimento.

É através do estudo que o *yogin* entende sobre si mesmo, e é através da contemplação que ele assume sua natureza livre de limitação, revelada pelos vários textos e mestres de *Vedānta*.

3.3

तदेवार्थमात्रनिर्भासं स्वरूपशून्यमिव समाधिः ॥

tadevārthamātranirbhāsaṁ svarūpaśūnyamiva samādhiḥ ||

Aquela mesma [meditação], iluminando somente o objeto de meditação, como que vazia do pensar, é samādhi, a absorção.

tad = aquela • ***eva*** = mesma • ***artha-mātra-nirbhāsam*** = iluminando somente o objeto de meditação • ***svarūpa-śūnyam*** = vazia do pensar • ***iva*** = como que • ***samādhiḥ*** = absorção

Na meditação, o meditador mantém o conceito de ser o meditador. No *samādhi*, ele está livre do conceito de ser realizador de qualquer ação.

Quando o objeto de meditação é o Eu e a mente cessa seu fluxo de pensamentos, iluminando exclusivamente a natureza essencial do Eu, este momento é chamado de *samādhi*. A mente está absorta no seu *dhyeya-vastu*, o objeto de meditação, que é o Eu. A absorção, na qual o meditador, *dhyātṛ*, sabe que está absorto e faz um esforço para se manter no objeto de meditação, é chamada de *savikalpa-samādhi*. Quando o esforço é zero, e os três - meditador, meditado, meditação - tornam-se um, chama-se *nirvikalpa-samādhi*.

3.4

त्रयमेकत्र संयमः ॥

trayamekatra saṁyamaḥ ||

Os três juntos (dhāraṇā, dhyāna, samādhi)
são [chamados de] saṁyama

trayam = três • ***ekatra*** = juntos •
saṁyamaḥ = *saṁyama*

Saṁyama é uma palavra cunhada por *Śrī Patañjali* para denominar o conjunto formado por *dhāraṇā, dhyāna, samādhi*. Isso porque a mente com capacidade de concentração é levada à meditação, que por sua vez conduz ao *samādhi*, a apreciação da realidade única.

3.5

तज्जयात् प्रज्ञालोकः ॥

tajjayāt prajñālokaḥ ||

Devido à conquista desse (saṁyama),
há a clareza de conhecimento.

tat-jayāt = devido à conquista desse •
prajñā-ālokaḥ = a clareza do conhecimento

A conquista de *saṁyama* pressupõe a conquista anterior dos cinco outros membros do *Yoga* - *yama, nyama, āsana, prāṇāyāma, pratyāhāra*. E o objetivo último dos oito membros é *prajñā*, o conhecimento da realidade. Aqui chamado de *prajñā-ālokaḥ*, trata-se da clareza do conhecimento bem assimilado.

3.6

तस्य भूमिषु विनियोगः ॥

tasya bhūmiṣu viniyogaḥ ||

A aplicação desse (saṁyama) [deve ser] em etapas.

tasya = desse • ***bhūmiṣu*** = em etapas • ***viniyogaḥ*** = a aplicação

Mais uma vez o ensinamento de *Patañjali* nos remete ao ensinamento de *Śrī Kṛṣṇa*, no verso 6.25 da *Bhagavadgītā*:

> शनैः शनैरुपरमेद्बुद्ध्या धृतिगृहीतया ।
>
> *śanaiḥ śanairuparamedbuddhyā dhṛtigṛhītayā* |
>
> *Devagar, que o dhyāna-yogin se aquiete com a mente que adquiriu firmeza.*

A prática de *saṁyama* deve ser devagar e gentil em cada etapa, *bhūmiṣu*, respeitando as necessidades da pessoa a cada momento e superando os obstáculos que são naturais.

3.7

त्रयमन्तरङ्गं पूर्वेभ्यः ॥

trayamantaraṅgaṁ pūrvebhyaḥ ||

O grupo de três (dhāraṇā, dhyāna, samādhi), com relação aos outros, é um membro interno.

trayam = o grupo de três • ***antar-aṅgaṁ*** = um membro • interno • ***pūrvebhyaḥ*** = com relação aos outros

De *yama* até *pratyāhāra*, temos *bahiraṅga-sādhana*, a disciplina externa, que é um suporte para a disciplina da mente, para o desenvolvimento do domínio sobre ela. A partir de *dhāraṇā*, a disciplina é conduzida diretamente na mente, chamada por isso de interna, *antaraṅga-sādhana*.

3.8

तदपि बहिरङ्गं निर्बीजस्य ॥

tadapi bahiraṅgaṁ nirbījasya ||

Mesmo esses [três] são externos com relação ao nirbīja [samādhi].

tad = esses • ***api*** = mesmo • ***bahiraṅgaṁ*** = externos • ***nirbījasya*** = com relação ao *nirbīja*

O objetivo do *Yoga* é *nirbīja-samādhi, o samādhi* sem semente.

Neste *samādhi*, a ignorância, que é a semente, *bīja*, para um novo nascimento, é eliminada por completo. Com relação a este, que é o objetivo último do *Yoga*, tudo o mais é chamado de externo.

No *nirbīja-samādhi*, há a apreciação do Eu livre dos pensamentos. Então o *yogin* permanece não mais tocado pelos pensamentos e sofrimentos, pois percebe que eles não são reais; somente o Eu é real e imutável.

Śrī Patañjali discursa então sobre as transformações pelas quais a mente passa até alcançar o *nirbīja-samādhi*. São transformações sutis e geralmente não perceptíveis. O mestre dos *Yoga Sūtras* busca elucidar esses detalhes.

Como é a transformação por que a mente passa até alcançar o *nirbīja samādhi* ou *asamprajñāta samādhi*?

3.9

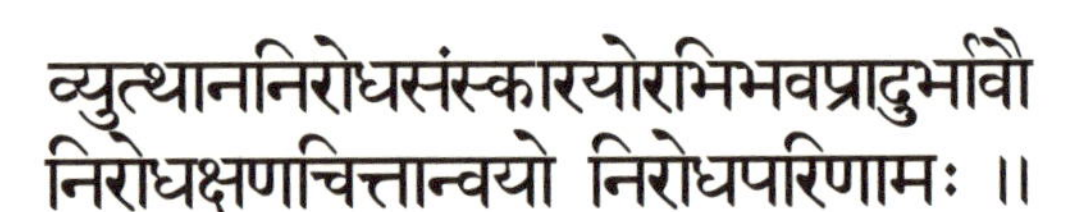

vyutthānanirodhasaṁskārayorabhibhavaprādurbhāvau nirodhakṣaṇacittānvayo nirodhapariṇāmaḥ ||

Nirodha pariṇāma, a transformação de controle, é a permanência da mente no momento de controle, no desaparecimento das tendências de transformação e no aparecimento das tendências de controle.

vyutthāna-nirodha-saṁskārayoḥ = das tendências de transformação e de controle • ***abhibhava-prādurbhāvau*** = no desaparecimento e no aparecimento • ***nirodha-kṣaṇa-citta-anvayaḥ*** = a permanência da mente no momento de controle • ***nirodha-pariṇāmaḥ*** = a transformação de controle

Em seu livro *Jivanmukti-viveka, Swami Vidyāraṇya* menciona que a mente toma a forma de diferentes modificações, como a chama do fogo toma diversas formas continuamente. É por essa natureza de mudança que a mente é chamada de *manaḥ*.[2]

Mano-nāśa, um termo técnico usado pela tradição de ensinamento, que literalmente significa destruição da mente, é definido como:

---

[2] *mananātmakatvāt manaḥ iti ucyate.*
Porque ela tem a natureza de mudança é chamada de mente.

vṛtti-rūpa-pariṇāmam parityajya
niruddhatva-ākareṇa pariṇāmaḥ.
Deixando de lado as mudanças na forma de transformações de pensamentos, há a mudança através do controle quando não há mais modificações.

A mente não mais assume transformações; esse momento de cessação de transformações pelo qual a mente passa é chamado de *nirodha-pariṇāmaḥ*, que é um termo técnico.

Quando as impressões de transformação são neutralizadas, as impressões de controle aparecem e o momento de controle se estabelece na mente. Esse estado é chamado de *mano-nāśa*. As *vāsanās* do passado não produzem mais reações na mente.

Os *yogins* mencionam que *tattva-jñānam* tem ligação direta com *mano-nāśa*, pois a força das reações da mente põe em questão o conhecimento do Eu que é *Brahman*.

Porém, devemos notar que é a força da clareza do conhecimento do Eu que faz a diferença, não o controle da mente. *Mano-nāśa* é consequência da firmeza do autoconhecimento.

Até chegar ao *nirbīja-samādhi*, a mente passa por transformações; essas são mencionadas por *Śrī Patañjali* nos *sūtras* 3.9 a 12.

A primeira transformação, *pariṇāma*, é chamada de *nirodha-pariṇāma*. É quando há o controle da mente consciente e também do inconsciente, à medida que ele é compreendido.

A segunda é o *samādhi-pariṇāma*, quando há o aparecimento da concentração mental e o desaparecimento da distração.

Por fim, ocorre o *ekāgratā-pariṇāma*, quando a mente descobre sua identidade com a Consciência.

Samskāras são tendências que são numerosas e podem estar não manifestas. Em determinado momento, elas se manifestam, tornando-se visíveis. Outras, que já se manifestaram, impulsionam a pessoa a agir mecanicamente, seguindo um padrão, mas, apesar de estarem manifestas e levarem à ação, muitas vezes não são reconhecidas. Agem na mente como um ponto cego, que não é percebido. Outras são apreciadas e estão sob nosso controle, uma vez que é possível agir livremente, sem a pressão de ceder a elas.

A mente passa por transformações no processo das disciplinas do *Yoga* e assimilação do conhecimento de *Vedānta*. No esforço repetitivo de controlar a mente, os *saṁskāras* antigos de agitação da mente vão desaparecendo, dando lugar ao novo *saṁskāra* de controle da mente. Há, então, um momento de transformação da mente, que é chamado de *nirodha-pariṇāma*.

A mente torna-se então capaz de concentração; ela se dispersa, mas rapidamente é trazida de volta ao foco. Esse momento de mudança é chamado de *samādhi-pariṇāma*.

A seguir, a mente consegue permanecer em seu foco e na visão da Consciência, que é a base de todos os pensamentos.

Esta mudança é chamada de *ekāgratā-pariṇāma*.

A liberação final, *kaivalya*, é caracterizada por *nirbīja-samādhi*, quando a semente, *bīja*, do sofrimento, *kleśa*, que é a ignorância do Eu, é como que tostada, ficando incapacitada de germinar.

Um *saṁskāra* desaparece porque há a troca por outro tipo de *saṁskāra*. Como, por exemplo, o *saṁskāra* de reagir com raiva, que é substituído pelo *saṁskāra* de tranquilidade e tolerância, que se fortalece cada vez mais por *viveka*, discriminação.

Com o desaparecimento (*abhibhava*) das impressões (*saṁskāra*) de mudança (*vyutthāna*) da mente e a manifestação (*prādurbhāva*) das impressões de controle da mente, há o chamado *nirodha-pariṇāma*, a modificação de controle.

3.10

तस्य प्रशान्तवाहिता संस्कारात् ॥

tasya praśāntavāhitā saṁskārāt ॥

Devido à [nova] tendência [de controle que foi adquirida], há um fluxo de tranquilidade daquela (mente).

tasya = daquela • ***praśānta-vāhitā*** = um fluxo de tranquilidade • ***saṁskārāt*** = devido à tendência

A tranquilidade nasce da clareza de conhecimento, pois, com a mente sob seu controle, o *yogin* consegue entender a natureza do Eu.

3.11

सर्वार्थतैकाग्रतयोः क्षयोदयौ
चित्तस्य समाधिपरिणामः ॥

sarvārthataikāgratayoḥ kṣayodayau
cittasya samādhipariṇāmaḥ ॥

O samādhi-pariṇāma, a transformação da absorção, é o término da distração da mente e o aparecimento da capacidade de foco da mente.

sarvārthatā-ekāgratayoḥ = da distração e da capacidade de foco • ***kṣaya-udayau*** = o término e o aparecimento • ***cittasya*** = da mente • ***samādhi-pariṇāmaḥ*** = a transformação da absorção

3.12

ततः पुनः शान्तोदितौ तुल्यप्रत्ययौ
चित्तस्यैकाग्रतापरिणामः ॥

tataḥ punaḥ śāntoditau tulyapratyayau
cittasyaikāgratāpariṇāmaḥ ||

E disso, advém o ekāgratā pariṇāma, a transformação do foco da mente em que os pensamentos do passado e do presente são iguais.

tataḥ = disso • ***punaḥ*** = e • ***śānta-uditau*** = do passado e do presente • ***tulya-pratyayau*** = em que os pensamentos são iguais • ***cittasya*** = da mente • ***ekāgratā-pariṇāmaḥ*** = transformação do foco

O estado de foco da mente é uma transformação através da qual a mente passa. Ocorre quando os pensamentos acalmados, que são os do passado, e os que se elevam, que são os do presente, são semelhantes. *Patañjali* usa a palavra *śānta*, que quer dizer acalmado, para dizer que ele é do passado, já passou, e agora está acalmado. E usa a palavra *udita*, que se eleva, que é presente, acontece no momento presente.

No passado havia a tentativa de instituir uma nova tendência, então, com esforço e o valor intelectual, a mente trouxe determinados pensamentos para novas tendências. Agora, esses são naturais; o que era esforço no passado torna-se natural no presente.

Quando os pensamentos do passado e do presente são semelhantes, a mente não mais está dispersa ou dividida por duas forças opostas, ela adquire foco. Os pensamentos que a mente entretém são semelhantes, ela não se agita com pensamentos de objetos diferentes.

A distração da mente com relação a todos os objetos (*sarvārthatā*) acontece quando ela muda de um objeto para outro, o que é impulsionado pelo *guṇa rajas*. O *yogin* realiza então disciplinas, com muito esforço, e consegue diminuir o hábito da mente de correr de um objeto para outro. Sua capacidade de foco é, então, aumentada. Esta mudança da mente é o *samādhi*.

O *samādhi* mencionado como o oitavo *aṅga* é o *samprajñāta-samādhi*. Este conduz ao *nirodha-samādhi*, com a destruição da força dos desejos, que é o *asamprajñāta-samādhi*.

Este *sūtra* descreve *samprajñāta-samādhi*; o foco que a mente adquire quando as *vāsanās* do passado e do presente são semelhantes. As *vāsanās* de distração se foram e as que estão já gravadas na mente, aqui chamadas de passado, são as mesmas do presente, ambas já da natureza de controle, não mais de dispersão.

3.13

एतेन भूतेन्द्रियेषु धर्मलक्षणावस्थापरिणामा
व्याख्याताः ॥

etena bhūtendriyeṣu dharmalakṣaṇāvasthāpariṇāmā
vyākhyātāḥ ||

Através desse [processo de transformação da mente], são mencionadas as transformações de características, de estado de ser e de condições em relação ao corpo, aos órgãos e à mente.

etena = através desse • ***bhūta-indriyeṣu*** = em relação ao corpo, aos órgãos e à mente • ***dharma-lakṣaṇa-avasthā-pariṇāmāḥ*** = as transformações de características, de estado de ser e de condições • ***vyākhyātāḥ*** = são mencionadas

Através desse processo triplo, recém-mencionado, de transformação da mente, a pessoa toda - seu corpo, seus sentidos e sua mente - é afetada, o que traz uma maior capacitação para a clareza do autoconhecimento.

Quando a mente passa por uma transformação, o *yogin* como um todo se transforma, com relação ao seu pensar, seu relacionamento com o mundo e a visão de si mesmo.

Fala-se sobre três processos de transformação pelos quais um objeto no universo passa.

As transformações da mente do *yogin* são equivalentes às três transformações dos objetos do mundo.

As três mudanças naturais aos objetos do mundo, que inclui o corpo, os órgãos e a mente, são mencionadas aqui.

Dharmin é um objeto que possui qualidade, *dharma*, e se transforma devido à mudança de suas qualidades. No *sūtra* 3.14, *dharmin* é a mente.

Tudo no universo, inclusive a mente, passa por transformações. As transformações da mente conduzem à sua capacitação para adquirir o autoconhecimento e torná-lo firme e bem estabelecido. O processo de transformação da mente é equivalente às transformações de tudo no universo. A mente é um objeto, *dharmin*, tanto quanto o corpo e os órgãos.

Há um comentário de *Vācaspati Miśra*, chamado *Bhāmatī*, ao comentário de *Śrī Śaṅkara*, chamado *Bhāṣyam*, ao *sūtra* 2 do capítulo 1 do *Brahma Sūtra* de *Śrī Vyāsa*, que menciona as transformações pelas quais tudo no universo passa:

> *Pariṇāmo'pi trividho dharma-lakṣaṇa-avasthā-lakṣaṇaḥ utpattiḥ eva.*
> *Dharminaḥ hi hāṭakādeḥ dharma-lakṣaṇaḥ pariṇāmaḥ kaṭaka-mukuṭādiḥ tasya utpattiḥ, evam kaṭakādeḥ api*

pratyutpannatvādi-lakṣaṇaḥ pariṇāmaḥ utpattiḥ.
Evam avasthā-pariṇāmaḥ nava-purāṇatvādiḥ utpattiḥ.
Até mesmo a transformação de três tipos é somente nascimento, caracterizado por dharma (características), lakṣaṇa (estado de ser) e avasthā (condições). Pois para o objeto, dharmin, a transformação caracterizada por dharma é como a transformação do ouro etc. para o nascimento de pulseira, tiara etc.; da mesma forma é o nascimento da existência da pulseira etc., chamado de transformação lakṣaṇa. Assim também é o nascimento do novo (de um novo objeto) em velho, em novo.

Dharma-pariṇāma é o nome dado à transformação do ouro em pulseira; *lakṣaṇa-pariṇāma* é a transformação da não-existência da pulseira para sua forma de existência; *avasthā pariṇāma* é a transformação constante da pulseira em nova (em um novo estado) para velha (pois o novo estado já não é mais novo) que se torna a nova pulseira, que então novamente torna-se velha.

Os três estados de transformação estão relacionados ao nascimento de um objeto. Isso porque a pulseira que era nova torna-se velha, o que quer dizer que nasce uma nova forma, que é a pulseira velha. A seguir, se modifica em outra forma que se torna novamente velha. Constantemente novas formas nascem. Assim, as três transformações são reduzidas à primeira, o nascimento. Esse é o processo comum aos objetos.

Esses três tipos de transformação estão relacionados ao nascimento de qualquer objeto, como no exemplo aqui mencionado, uma pulseira.

As transformações pelas quais tudo no universo passa são essencialmente três: *utpatti* ou *janma* (nascimento), *sthiti* (manutenção), *bhaṅga* (destruição).

O corpo, os órgãos e a mente passam por essas transformações constantemente. Aqui, as três transformações são vistas como formas diferentes do nascimento.

A transformação da mente, chamada de *nirodha-pariṇāma*, é semelhante à clássica *dharma-pariṇāma*. *Nirodha-pariṇāma* é *dharma-pariṇāma*, os *saṁskāras* na mente se transformam, de constante mudança para o controle. A mente que antes estava sempre agitada agora está controlada.

A mudança chamada de *samādhi-pariṇāma* é a mesma que *lakṣaṇa-pariṇāma*. *Samādhi-pariṇāma* é quando nasce o foco da mente que antes não existia. E a mudança chamada *ekāgratā* é como *avasthā-pariṇāma*. *Avasthā-pariṇāma* é quando os pensamentos novos e velhos se alternam; o novo aparece e torna-se velho, e um novo aparece. Os novos são acalmados e os velhos, que acabam de passar, também são acalmados. Assim, o pensamento do passado e do presente são iguais.

As mudanças são referentes a todos os objetos do universo. A mente está sujeita às transformações e somente *Puruṣa*, *Brahman*, é livre de transformações, e este é o Eu, *Ātman*.

3.14

शान्तोदिताव्यपदेश्यधर्मानुपाती धर्मी ॥

śāntoditāvyapadeśyadharmānupātī dharmī ||

O dharmin [o que possui qualidade] existe conforme o dharma, a qualidade acalmada, manifesta ou latente.

śānta-udita-avyapadeśya-dharma-anupātī = conforme a qualidade acalmada, manifesta ou latente • ***dharmī*** = o que possui qualidade

A mente é aqui chamada de *dharmin*,[3] que significa aquilo que possui *dharma* ou qualidade. A mente será conforme sua qualidade. Essas qualidades estão em constante mudança: podem estar aquietadas, quando já passaram e fazem parte do passado; manifestas, quando fazem parte do presente; ou ainda não manifestas, quando fazem parte do futuro e ainda não se manifestaram. O Eu ilimitado é livre de qualidades e imutável, é sempre existente e o mesmo, e está disponível para ser reconhecido.

3.15

क्रमान्यत्वं परिणामान्यत्वे हेतुः ॥

kramānyatvaṁ pariṇāmānyatve hetuḥ ||

A ordem na sequência [da prática] é a causa para a ordem na transformação [da mente].

krama-anyatvaṁ = a ordem na sequência • ***pariṇāma-anyatve*** = para a ordem na transformação • ***hetuḥ*** = a causa

A ordem de sequência é a sequência da prática de *Yoga*. De acordo com ela, a mente vai se transformando. É importante seguir uma ordem na prática para se chegar diretamente aos resultados almejados e propostos pela tradição dos mestres que já passaram por essas disciplinas antes.

A mudança da mente é a transformação dos estados mentais que, no *sūtra* anterior, foi sintetizada em acalmada,

[3] Optamos por usar as palavras sânscritas em sua base, antes de receber qualquer declinação. Sendo assim, usamos a palavra *dharmin*, não *dharmī*, que está com a declinação de primeiro caso singular.

manifesta e latente. A transformação na mente ocorrerá dependendo da sequência da disciplina pela qual o *yogin* passa. Quando o *yogin* tem a capacidade de controle da mente, ele passa por *nirodha-pariṇāma*, e isto proporciona tranquilidade a ele, que então usufrui de *samādhi-pariṇāma* e, por fim, *ekāgratā pariṇāma*, a capacidade de manter a mente na realidade única. Então ele pode ser chamado de *kṛtārtha* – a pessoa que fez tudo o que tinha que ser feito e alcançou *kaivalya*.

Nos *sūtras* a seguir, *Śrī Patañjali* descreve a aquisição de diferentes poderes que podem ser conquistados em razão das práticas das disciplinas de *Yoga*; em especial as três denominadas de *saṁyama*. Usaremos aqui a palavra "reflexão" como sinônimo de *saṁyama*. A mente que passa por transformações durante o *samādhi-krama*, o processo do *samādhi*, adquire diferentes *siddhis*, poderes.

3.16

परिणामत्रयसंयमादतीतानागतज्ञानम् ॥

pariṇāmatrayasaṁyamādatītānāgatajñānam ||

Devido ao saṁyama nas três transformações [chamadas dharma, lakṣaṇa e avasthā], [o yogin alcança] o conhecimento do passado e do futuro.

pariṇāma-traya-saṁyamāt = devido ao *saṁyama* nas três transformações • ***atīta-anāgata-jñānam*** = conhecimento do passado e do futuro

As três transformações pelas quais o *yogin* passa são: *dharma*, *lakṣaṇa* e *avasthā*, mencionadas no *sūtra* 3.13. *Saṁyama* é aqui a reflexão com relação às transformações pelas quais o *yogin* passa. Ele consegue perceber o fluxo contínuo entre passado, presente e futuro, e assim o fato de que o momento anterior conduz ao seguinte. O conhecimento do passado e do futuro é o conhecimento de que ambos não existem fora do presente; ele entende que o tempo é aparente, *mithyā*. O presente veio do que passou e conduz ao que está por acontecer. O fluxo é contínuo, não há divisão entre os três tempos e a única realidade é o presente, pois o passado, quando existiu, era presente e o futuro, quando existir, será presente. Existe uma relação interdependente entre os três tempos, porém quando o passado existiu, ele era presente, e quando o futuro existir, ele será presente. Só existe o presente e a verdade essencial do presente é a presença, que é Consciência. O sábio consegue apreciar tudo isto.

3.17

शब्दार्थप्रत्ययानामितरेतराध्यासात्
सङ्करस्तत्प्रविभागसंयमात् सर्वभूतरुतज्ञानम् ॥

śabdārthapratyayānāmitaretarādhyāsāt
saṅkarastatpravibhāgasaṁyamāt sarvabhūtarutajñānam ||

A confusão em relação à palavra, seu objeto e a ideia
[deste] se deve à superimposição de um no outro.
Através da reflexão sobre a diferenciação destes,
o conhecimento da fala de todos os seres [é adquirido].

śabda-artha-pratyayānām = em relação à palavra, seu objeto e a ideia • ***itara-itara-adhyāsāt*** = se deve à superimposição de um no outro • ***saṅkaraḥ*** = a confusão • ***tat-pravibhāga-saṁyamāt*** = através da reflexão sobre a diferenciação destes • ***sarva-bhūta-ruta-jñānam*** = o conhecimento da fala de todos os seres

Uma palavra, como, por exemplo, pote, corresponde a um objeto, que é o objeto pote, e inclui uma ideia ou conceito acerca do objeto. A palavra é particular a determinada língua e o objeto faz parte do mundo dos objetos, mas é percebido de forma particular, como pote bom, bonito, feio, útil, inútil, desejável, indesejável etc. A percepção do objeto vem associada ao conceito particular do objeto, seja de que ele é feio ou bonito, útil ou inútil. Com a reflexão sobre esse fato, o *yogin* percebe que diferentes línguas usam diferentes palavras para um mesmo objeto, enquanto diferentes pessoas veem os mesmos objetos de formas diferentes.

O sábio consegue entender todas as pessoas, o que falam e o que querem dizer, como se entendesse todas as línguas que existem.

3.18

संस्कारसाक्षात्करणात् पूर्वजातिज्ञानम् ॥

saṁskārasākṣātkaraṇāt pūrvajātijñānam ||

Da percepção direta das tendências [com as quais a pessoa nasce], advém o conhecimento sobre sua vida passada.

saṁskāra-sākṣātkaraṇāt = da percepção direta das tendências • ***pūrva-jāti-jñānam*** = o conhecimento sobre sua vida passada

O *yogin* observa as tendências com as quais a pessoa nasce. Essas tendências são características fortes que se manifestam na vida atual. Pode-se perceber que, se nada nesta vida explica a aquisição de determinada capacidade, algo deve ter sido feito antes, em outra vida, para que esse talento esteja presente.

Na visão dos *Vedas*, cada um é responsável pela vida que tem. O tipo de nascimento, com suas respectivas características, não depende dos pais nem dos genes da família. A pessoa nasce em determinada família porque suas características e as experiências que precisa viver estão nos genes daqueles pais e nas suas condições sociais, materiais, emocionais e intelectuais. As tendências pertencem ao *jīva*, o indivíduo, e à história dele e de seus inúmeros nascimentos até a liberação final. A pessoa que faz *saṁyama*, que inclui *dhāraṇā, dhyāna* e *samādhi*, sobre este assunto percebe a relação deste nascimento atual com os anteriores.

3.19

प्रत्ययस्य परचित्तज्ञानम् ॥

pratyayasya paracittajñānam ||

[Da reflexão] sobre o pensamento advém o conhecimento do pensamento na mente dos outros.

pratyayasya = sobre o pensamento • ***para-citta-jñānam*** = o conhecimento do pensamento na mente dos outros

Com a reflexão sobre os pensamentos, percebe-se uma ordem entre todas as mentes, a ordem psicológica de funcionamento da mente de todos os seres. Os *Vedas* reconhecem haver uma mente cósmica, *samaṣṭi-antaḥkaraṇa*, chamada de *hiraṇyagarbha*. Em *Vedānta*, o termo "cósmico" se refere a um todo universal e é usado em oposição ao termo "individual", que se refere ao âmbito do indivíduo. A mente cósmica é composta de todos os pensamentos e emoções e da ordem de funcionamento psicológico e cognitivo que governa todas as mentes e intelectos. Como mencionado antes, o termo mente inclui o intelecto, apesar de *Vedānta* considerar que a mente, *manas*, lida com pensamentos oscilantes como as emoções e o intelecto, *buddhi*, com conhecimentos e pensamentos de determinação ou afirmação.[4] Além disso, como todas as mentes individuais (*vyaṣṭhi-antaḥkaraṇa*) fazem parte de uma mente total (*samaṣṭi-antaḥkaraṇa*), a empatia, a capacidade de sentir e compreender o outro, é possível.

3.20

न च तत्सालम्बनं तस्याविषयीभूतत्वात् ॥

na ca tat sālambanaṁ tasyāviṣayībhūtatvāt ||

Mas aquele não tem a mesma base,
porque não pode ser objetificado.

na = não • ***ca*** = mas (*ca* = e, mas aqui, com a negação *na*, é mas) • ***tat*** = aquele • ***sālambanam*** = tem a mesma base • ***tasya avisayībhūtatvāt*** = porque não pode ser objetificado

Neste *sūtra*, não está claro a que se refere o pronome *tat*, aquele, tornando sua interpretação difícil.

Talvez *Śrī Patañjali* queira dizer que, além do pensamento da mente consciente que pode ser percebido pelo *yogin*, existem os *saṁskāras*, as tendências de uma pessoa, que não podem ser percebidos por outra, porque são não manifestos. Apesar de o *yogin* ter o poder de perceber o pensamento na mente de outra

[4] Veja o comentário ao *Yoga Sūtra* 1.2.

pessoa, conforme o *sūtra* anterior, ele não poderá ver aquilo que não está ainda manifesto nela.

Pode-se entender então que o conteúdo da mente dos outros percebido pelo *yogin* não inclui o que não está manifesto, seus *saṁskāras*.

3.21

कायरूपसंयमात्तद्ग्राह्यशक्तिस्तम्भे
चक्षुःप्रकाशासंप्रयोगेऽन्तर्धानम् ॥

kāyarūpasaṁyamāttadgrāhyaśaktistambhe
cakṣuḥprakāśāsaṁprayoge'ntardhānam ||

Devido à reflexão sobre a forma do corpo, há [o poder da] invisibilidade, na suspensão do poder de manifestação dela (da forma do corpo) [e] na ausência de contato da luz da visão.

kāya-rūpa-saṁyamāt = devido à reflexão sobre a forma do corpo • ***tad-grāhya-śakti-stambhe*** = na suspensão do poder de manifestação dela • ***cakṣuḥ-prakāśa-asaṁprayoge*** = na ausência de contato da luz da visão • ***antardhānam*** = [o poder da] invisibilidade

Com a reflexão sobre o corpo e sua natureza, o *yogin* consegue fazer com que seu corpo não seja visível para o outro. A invisibilidade é não se deixar ser visto pelo outro.

3.22

एतेन शब्दाद्यन्तर्धानमुक्तम् ॥

etena śabdādyantardhānamuktam ||

Através disso (da reflexão sobre a forma do corpo), fala-se sobre a não percepção do som etc.

etena = através disso • ***śabda-ādi-antardhānam*** = a não percepção do som etc. • ***uktam*** = fala-se sobre

Assim como, para os olhos, o objeto pode se tornar invisível, também o será para os outros sentidos; o corpo torna-se invisível, o som inaudível, o cheiro desaparece. Parece que a pessoa adquire uma capa ou cinturão de proteção para que não seja percebida pelos outros.

3.23

सोपक्रमं निरुपक्रमं च कर्म
तत्संयमादपरान्तज्ञानमरिष्टेभ्यो वा ॥

sopakramaṁ nirupakramaṁ ca karma
tatsaṁyamādaparāntajñānamariṣṭebhyo vā ||

A ação produz resultado imediato e resultado futuro; devido à reflexão sobre aquela (a ação), há conhecimento da morte ou de [seus] sinais.

sopakramam = produz resultado imediato • ***nirupakramam*** = produz resultado futuro • ***ca*** = *e* • ***karma*** = a ação • ***tat-saṁyamād*** = devido à reflexão sobre aquela • ***aparānta-jñānam*** = conhecimento da morte • ***ariṣṭebhyaḥ*** = de sinais • ***vā*** = ou

Uma ação tem dois aspectos: um aspecto físico, a ação propriamente dita, e um aspecto sutil, a intenção na ação. A ação pode ser adequada ou não adequada, e produz um resultado imediato e visível, chamado *dṛṣṭa phala*. A intenção pode ser positiva, negativa ou uma mistura de ambas. Ela não é visível e produz um resultado também invisível, chamado de *adṛṣṭa phala*. O resultado não é visível nem manifesto, mas o será no futuro, nesta ou em outras vidas, na forma de facilidades e alegrias ou dificuldades e sofrimentos.

Esta é a lei do *karma* explicada nos *Vedas*. Toda ação produz um resultado e este dependerá da natureza da ação. Ação adequada, *dharma*, produz resultado positivo, chamado de *puṇya*; ação inadequada, *adharma*, produz resultado negativo, chamado de *pāpa*. O ser humano tem escolha na ação, mas não poderá fugir do resultado de sua ação, que virá seja nesta vida ou em outra.

Devido à reflexão sobre a ação, a pessoa percebe sinais sobre o momento de sua morte.

3.24

मैत्र्यादिषु बलानि ॥

maitryādiṣu balāni ||

[Devido à reflexão] sobre a amizade etc., há forças.

maitrī-ādiṣu = sobre a amizade etc. • ***balāni*** = forças

Quando o *yogin* contempla sobre a amizade para com todas as pessoas, sobre a aceitação da maneira como as pessoas são e sobre a compaixão em relação ao erro dos outros, ele percebe que tudo está dentro da ordem cósmica. Adquire então a força de aceitar o universo como é e não ser afetado por ele. Essa força adquirida é interna, é o poder lidar com o mundo como ele é, sem julgamento de bom ou mau, sem crítica ao outro ou a seu ato, permitindo que a ordem cósmica cuide da outra pessoa.

3.25

बलेषु हस्तिबलादीनि ॥

baleṣu hastibalādīni ॥

[Devido à reflexão] sobre as forças, vem a força etc. de um elefante.

baleṣu = sobre as forças •
hasti-bala-ādīni = a força etc. de um elefante

Da reflexão sobre as forças, o *yogin* pode alcançar a força física, a delicadeza e a graça do elefante. Muitas vezes se pensa que, para ter força, a pessoa deve perder a suavidade. Aqui é mencionado que o *yogin* adquire força sem perder sua delicadeza e suavidade.

3.26

प्रवृत्त्यालोकन्यासात् सूक्ष्मव्यवहितविप्रकृष्टज्ञानम् ॥

pravṛttyālokanyāsāt sūkṣmavyavahitaviprakṛṣṭajñānam ॥

Devido ao direcionamento da luz da percepção, há o conhecimento do que está distante, escondido e sutil.

pravṛtti-āloka-nyāsāt = devido ao direcionamento da luz da percepção • ***sūkṣma-vyavahita-viprakṛṣṭa-jñānam*** = o conhecimento do que está distante, escondido e sutil

A percepção dos sentidos tem um limite, a mente e o intelecto vão bem além, indo até os objetos que são sutis e estão distantes, e por isso estão escondidos para os sentidos, mas não para a mente do *yogin*.

3.27

भुवनज्ञानं सूर्ये संयमात् ॥

bhuvanajñānaṁ sūrye saṁyamāt ||

Devido à reflexão sobre o Sol, há o conhecimento do universo.

bhuvana-jñānam = o conhecimento do universo • ***sūrye*** = sobre o Sol • ***saṁyamāt*** = devido à reflexão

A reflexão sobre o Sol é a reflexão sobre o Sistema Solar. O Sistema Solar é o próprio universo e na reflexão e apreciação da ordem do cosmos, há o conhecimento de todo o universo.

3.28

चन्द्रे ताराव्यूहज्ञानम् ॥

candre tārāvyūhajñānam ||

[Devido à reflexão] sobre a Lua, há o conhecimento da disposição das estrelas.

candre = sobre a Lua • ***tārā-vyūha-jñānam*** = o conhecimento da disposição das estrelas

A Lua é o corpo celeste mais significativo à noite. A astrologia védica enumera 27 constelações relacionadas à Lua. São as constelações por onde a Lua passa em sua trajetória. Da reflexão sobre a Lua, compreendem-se os corpos celestes e seus significados.

3.29

ध्रुवे तद्गतिज्ञानम् ॥

dhruve tadgatijñānam ||

[Devido à reflexão] sobre a estrela Polar, há o conhecimento do movimento delas (das estrelas).

dhruve = sobre a estrela Polar •
tad-gati-jñānam = o conhecimento do movimento delas

As constelações giram ao redor da estrela Polar do norte, que é chamada *dhruva nakṣatra*. *Dhruva* quer dizer firme e imutável. Da reflexão sobre *dhruva*, percebe-se a harmonia do universo; percebe-se também a hora e a época do ano.

3.30

नाभिचक्रे कायव्यूहज्ञानम् ॥

nābhicakre kāyavyūhajñānam ||

[Devido à reflexão] sobre o centro do umbigo, há o conhecimento da formação do corpo.

nābhi-cakre = sobre o centro do umbigo •
kāya-vyūha-jñānam = o conhecimento da formação do corpo.

Nābhi cakra é o centro do corpo humano, situado no umbigo. Com a reflexão sobre este centro do corpo, o *yogin* percebe a formação ordenada de seu corpo, a disposição dos vários sistemas, digestivo, circulatório, respiratório etc., que mantêm o corpo vivo e funcionando em harmonia.

3.31

कण्ठकूपे क्षुत्पिपासानिवृत्तिः ॥

kaṇṭhakūpe kṣutpipāsānivṛttiḥ ॥

[Devido à reflexão] sobre o poço da garganta,
há a conquista da fome e da sede.

kaṇṭha-kūpe = sobre o poço da garganta • ***kṣut-pipāsā-nivṛttiḥ*** = a conquista da fome e da sede

Com a reflexão sobre o local do corpo conhecido como poço da garganta, que é a cavidade da garganta, o *yogin* consegue evitar a sensação de fome e sede e controlar o funcionamento do seu corpo.

3.32

कूर्मनाड्यां स्थैर्यम् ॥

kūrmanāḍyāṁ sthairyam ॥

[Devido à reflexão] sobre a kūrma-nāḍī, há firmeza.

kūrma-nāḍyām = sobre a *kūrma-nāḍī* • ***sthairyam*** = firmeza

A *Kaṭha Upaniṣad* 2.3.16 menciona que existem várias *nāḍīs* no corpo. *Nāḍī* é um duto de energia no corpo físico. *Kūrma-nāḍī* é o nome de uma região de energia localizada na região alta do peito, que está relacionada às emoções. *Kūrma* quer dizer tartaruga, e como ela facilmente entra e sai de seu casco, a *kūrma-nādī* está relacionada à retenção e manifestação das emoções. É uma imagem conhecida na tradição dos *Vedas* e que aparece no verso 2.58 da *Bhagavadgītā*:

> यदा संहरते चायम् कूर्मोऽङ्गानीव सर्वशः ।
> इन्द्रियणीन्द्रियार्थेभ्यस्तस्य प्रज्ञा प्रतिष्ठिता ॥
>
> *yadā saṁharate cāyam kūrmo'ṅgānīva sarvaśaḥ* |
> *indriyaṇīndriyārthebhyastasya prajñā pratiṣṭhitā* ||
>
> *E quando, como uma tartaruga que recolhe totalmente seus membros, a pessoa é capaz de recolher os órgãos dos sentidos retirando-os de seus respectivos objetos, seu conhecimento é firme.*

Com a reflexão sobre a *kūrma-nādī*, o *yogin* alcança firmeza e equilíbrio emocional, alcança a capacidade de evitar reações emocionais e de não ser afetado pelos tumultos da vida. Consegue também congelar os cinco *prāṇas*, que correspondem às funções do corpo.

3.33

मूर्धज्योतिषि सिद्धदर्शनम् ॥

mūrdhajyotiṣi siddhadarśanam ||

[Devido à reflexão] sobre a luz do topo da cabeça, há a visão dos seres perfeitos.

mūrdha-jyotiṣi = sobre a luz do topo da cabeça • ***siddha-darśanam*** = a visão dos seres perfeitos

Siddha é um *yogin* que é também sábio. Antes de adquirir o autoconhecimento, ele pode ter o desejo de reter sua forma humana, então, após a morte do corpo físico, na forma do corpo sutil, *siddha* ajuda pessoas sinceras e dedicadas que estão no caminho do autoconhecimento. É dito que existem muitos *siddhas* e eles permanecem principalmente em templos e lugares de peregrinação. Com a reflexão sobre o topo da cabeça, o *yogin* enxerga os *siddhas* e pode receber orientação e inspiração deles.

3.34

प्रातिभाद्वा सर्वम् ॥

prātibhādvā sarvam ||

Ou do conhecimento, advém o [conhecimento de] tudo.

prātibhāt = do conhecimento • ***vā*** = ou • ***sarvam*** = tudo

O verso 1.1.3 da *Muṇḍaka Upaniṣad* diz: *kasminnu bhagavo vijñāte sarvam idam vijñātam bhavati iti.* Há algo que, sendo conhecido, torna tudo o mais conhecido.

O conhecimento de tudo é o conhecimento de que tudo, todo o universo, tem uma única realidade, que é *Brahman*, que deve ser conhecida; é o conhecimento do um que é tudo. Porém *Śrī Patañjali* não deve estar falando do conhecimento de *Brahman* neste momento, no terceiro capítulo, onde fala sobre poderes adquiridos secundariamente através das práticas de *Yoga*. Talvez a intenção aqui seja falar de uma experiência semelhante ao *samādhi*, em que o mundo desaparece na apreciação do um que é a Consciência que tudo permeia.

3.35

हृदये चित्तसंवित् ॥

hṛdaye cittasaṁvit ||

[Devido à reflexão] sobre o coração, há total conhecimento da mente.

hṛdaye = sobre o coração •
citta-saṁvit = total conhecimento da mente

O coração é o centro do indivíduo. A palavra *hṛdaya*, coração, significa o âmago, o centro da pessoa, suas emoções, sua mente e intelecto. A reflexão sobre o coração traz o entendimento de que a mente é o assento do *ahaṅkāra*, o ego, que é um pensamento, o pensamento-eu, *aham-vṛtti*,[5] e que a mente, que inclui emoções e decisões, tem a pura Consciência como sua base, sua verdade. O total conhecimento da mente é o reconhecimento de que a luz da mente é a luz da Consciência.

3.36

सत्त्वपुरुषयोरत्यन्तासङ्कीर्णयोः प्रत्ययाविशेषो भोगः
परार्थत्वात् स्वार्थसंयमात् पुरुषज्ञानम् ॥

sattvapuruṣayoratyantāsaṅkīrṇayoḥ pratyayāviśeṣo bhogaḥ
parārthatvāt svārthasaṁyamāt puruṣajñānam ||

Apesar de haver completa diferença entre o ser individual e Puruṣa, há a experiência de uma base não diferente, devido à busca mais alta. Devido ao saṁyama sobre a identidade de si mesmo, há o conhecimento de Puruṣa.

---

[5] Veja o comentário ao *Yoga Sūtra* 1.2.

sattva-puruṣayoḥ = entre o ser individual e *Puruṣa* • ***atyanta-asaṅkīrṇayoḥ*** = apesar da completa diferença • ***pratyayaḥ-aviśeṣaḥ*** = de uma base comum não diferente • ***bhogaḥ*** = a experiência • ***para-arthatvāt*** = devido à busca mais alta • ***sva-artha-saṁyamāt*** = devido ao *saṁyama* sobre a realidade de si mesmo • ***puruṣa-jñānam*** = o conhecimento de *Puruṣa*

Sattva é o nome de um dos três *guṇas*, mas significa também a mente, onde há predominância de *sattva-guṇa*, e, por extensão de sentido, o ser consciente. Portanto, é igualmente uma denominação do indivíduo.

Puruṣa pode significar o *jīva* e também *Īśvara*, pois refere-se a *Brahman*, a realidade básica de tudo. Como vemos nos versos 15.16,17 da *Bhagavadgītā*:

द्वाविमौ पुरुषौ लोके क्षरश्चाक्षर एव च ।
क्षरः सर्वाणि भूतानि कूटस्थोऽक्षर उच्यते ॥

dvāvimau puruṣau loke kṣaraścākṣara eva ca |
kṣaraḥ sarvāṇi bhūtāni kūṭastho'kṣara ucyate ||

No mundo, existem estes dois Puruṣas: o perecível e o imperecível. O perecível são todos os seres. O imutável é chamado de imperecível.

उत्तमः पुरुषस्त्वन्यः परमात्मेत्युदाहृतः ।
यो लोकत्रयमाविश्य बिभर्त्यव्यय ईश्वरः ॥

uttamaḥ puruṣastvanyaḥ paramātmetyudāhṛtaḥ |
yo lokatrayamāviśya bibhartyavyaya īśvaraḥ ||

Mas diferente é o Puruṣa superior, chamado de o Ser superior, aquele imutável Īśvara que, penetrando nos três mundos, sustenta-os.

Na experiência humana, existe diferença entre o *jīva* e *Īśvara*; como uma onda, que é individual, e o vasto oceano, que é o Todo. Os dois são completamente diferentes! Porém, se desconsiderarmos a forma individual e a forma total, ambos são idênticos essencialmente; não há diferença entre eles – assim como a onda não é diferente do oceano com relação à verdade de ambos, que é água.

Os versos 145 e 147 do texto *Vedānta-sāram*, de *Śrī Sadānanda Yogindra*, nos explica a aparente diferença e a essencial identidade entre o indivíduo e o Todo.

Esse entendimento é o maior ganho que uma pessoa pode alcançar em sua vida. É a visão do que é real e imutável, e essa visão é libertadora. Ela faz com que a pessoa possa acolher sua forma individual como é, mesmo com todas as limitações, pois é *mithyā*, não é real, apesar de parecer real. Isso lhe permite reconhecer sua verdadeira natureza imutável e imortal.

3.37

ततः प्रातिभश्रावणवेदनादर्शास्वादवार्ता जायन्ते ॥

tataḥ prātibhaśrāvaṇavedanādarśāsvādavārtā jāyante ||

Da (reflexão, saṁyama), nascem as capacidades especiais de percepção intuitiva, de escuta, de toque, de visão, de sabor.

tataḥ = da (reflexão, *saṁyama*) • ***prātibha-śrāvaṇa--vedana-ādarśa-āsvāda-vārtāḥ*** = as capacidades especiais de percepção intuitiva, de escuta, de toque, de visão, de sabor • ***jāyante*** = nascem

Os sentidos e a percepção intuitiva ficam mais aguçados com a prática de *saṁyama*.

3.38

ते समाधावुपसर्गा व्युत्थाने सिद्धयः ॥

te samādhāvupasargā vyutthāne siddhayaḥ ||

Esses são obstáculos para o samādhi; mas são poderes no mundo.

te = esses • ***samādhau*** = para o *samādhi* • ***upasargāḥ*** = obstáculos • ***vyutthāne*** = no mundo • ***siddhayaḥ*** = poderes

Este *sūtra* é muito significativo, pois, apesar de descrever muitos poderes que o *yogin* pode alcançar através do *Yoga*, *Śrī Patañjali* aponta que o objetivo final do *Yoga* não são esses poderes, mas sim algo maior, *kaivalya* ou *mokṣa*, a libertação da limitação e do sofrimento.

Muitos poderes são descritos como frutos secundários e naturais da vida de *Yoga*, mas eles podem criar vaidade e fortalecer o ego. Por isso são obstáculos para o objetivo final. O *yogin* mantém claro seu objetivo e não se perde com distrações no meio do caminho.

3.39

बन्धकारणशैथिल्यात् प्रचारसंवेदनाच्च
चित्तस्य परशरीरावेशः ॥

bandhakāraṇaśaithilyāt pracārasaṁvedanācca
cittasya paraśarīrāveśaḥ ||

Devido ao afrouxamento da causa do aprisionamento e ao entendimento do movimento da mente, há [o poder de] ocupar o corpo de outra pessoa.

bandha-kāraṇa-śaithilyāt = devido ao afrouxamento da causa do aprisionamento • ***pracāra-saṁvedanāt*** = ao entendimento do movimento • ***ca*** = e • ***cittasya*** = da mente • ***para-śarīra-āveśaḥ*** = ocupar o corpo de outra pessoa

A mente se prende a um corpo por causa da identificação com ele, porém, ela é de natureza sutil, enquanto o corpo é denso. A mente toma conta do corpo da pessoa no momento do nascimento, mas o *yogin* pode conseguir fazer sua mente entrar no corpo de outra pessoa, o que é chamado de *āveśa*.

3.40

udānajayājjalapaṅkakaṇṭakādiṣvasaṅga utkrāntiśca ||

Devido à conquista do udāna, [é possível] não ter contato com a água, a lama, o espinho etc., e sair do corpo.

udāna-jayāt = devido à conquista do *udāna* • ***jala-paṅka-kaṇṭakādiṣu*** = com a água, a lama, o espinho etc. • ***asaṅgaḥ*** = não ter contato • ***utkrāntiḥ*** = sair do corpo • ***ca*** = e

Udāna é o *prāṇa* que vai para cima, que sai do corpo no momento da morte.

Através do entendimento da função do *udāna* e o domínio de seu funcionamento, o *yogin* adquire o poder de andar sobre a água, sobre a lama e em espinhos, sem tocá-los nem ser afetado por eles. Isso porque consegue fazer com que seu corpo se torne muito leve e, assim, como que flutue sem nada tocar.

3.41

समानजयाज्ज्वलनम् ॥

samānajayājjvalanam ||

Devido à conquista do samāna, há brilho [em seu corpo].

samāna-jayāt = devido à conquista do *samāna* • ***jvalanam*** = brilho

Samāna é o *prāṇa* responsável pela digestão e assimilação da comida, da água, do ar, que darão força ao corpo. Através da prática da meditação e do controle do *samāna-vāyu*, a pessoa é abençoada com uma boa digestão e distribuição dos nutrientes, e consequentemente terá uma boa saúde e bom funcionamento do corpo, o que lhe dará brilho.

3.42

श्रोत्राकाशयोः सम्बन्धसंयमाद्दिव्यं श्रोत्रम् ॥

śrotrākāśayoḥ sambandhasaṁyamāddivyaṁ śrotram ||

Devido à reflexão sobre a relação entre o espaço e o som, há a capacidade divina de escutar.

śrotra-ākāśayoḥ = entre o espaço e o som • ***sambandha-saṁyamāt*** = devido à reflexão sobre a relação • ***divyam*** = divina • ***śrotam*** = a capacidade de escutar

Há uma relação entre o elemento espaço e a propagação do som. O texto introdutório de *Vedānta* escrito por *Śrī Śankara* menciona a relação entre os cinco elementos e os cinco objetos.[6] Com o *saṁyama* sobre a relação entre esses dois, há, como resultado secundário, o poder divino de escutar sons cuja percepção está além da capacidade humana.

3.43

कायाकाशयोः सम्बन्धसंयमाल्लघुतूलसमापत्तेश्चा-
काशगमनम् ॥

*kāyākāśayoḥ sambandhasaṁyamāllaghutūlasamāpatteścā-
kāśagamanam* ॥

Devido à reflexão sobre a relação entre o espaço e o corpo e à reflexão sobre o algodão, que é leve, há a capacidade de andar no espaço.

kāya-ākāśayoḥ = entre o espaço e o corpo • ***sambandha-saṁyamāt*** = devido à reflexão sobre a relação • ***laghu-tūla-samāpatteḥ*** = à reflexão sobre o algodão, que é leve • ***ca*** = e • ***ākāśa-gamanam*** = a capacidade de andar no espaço

O algodão na árvore parece sólido, como uma flor, mas, com a força do mais leve vento, vira pó, desaparece.

Nosso corpo parece ser sólido e estar parado, mas isso é uma ilusão, pois suas moléculas estão em constante movimento, além de estarem sujeitas ao movimento da Terra no espaço. Todos os corpos estão em constante movimento.

Andar no espaço é voar, assim como *Hanuman*, que possuía este poder especial.

---

[6] *Tattvabodhah*, publicação do Centro de Estudos Vidya Mandir.

3.44

बहिरकल्पिता वृत्तिर्महाविदेहा ततः प्रकाशावरणक्षयः ॥

bahirakalpitā vṛttirmahāvidehā tataḥ prakāśāvaraṇakṣayaḥ ||

Um pensamento dirigido para fora e sem erro é [chamado de] mahāvidehā, a grande libertação do corpo. Desse [pensamento], advém a eliminação daquilo que encobre a luz [do conhecimento].

bahir-akalpitā = dirigido para fora e sem erro • ***vṛttiḥ*** = um pensamento • ***mahāvidehā*** = a grande libertação do corpo • ***tataḥ*** = desse • ***prakāśa-āvaraṇa-kṣayaḥ*** = a eliminação daquilo que encobre a luz [do conhecimento]

Geralmente *mahāvidehā* é traduzido como o poder de viver só com o corpo sutil. O *yogin* guardaria seu corpo físico em algum lugar seguro e viveria só com o corpo sutil, com o qual poderia ir a qualquer lugar rapidamente.

Aqui é interpretado como um pensamento sobre o universo de nomes e formas, sempre limitado, que revela para o *yogin* sua natureza real livre do corpo.

3.45

स्थूलस्वरूपसूक्ष्मान्वयार्थवत्त्वसंयमाद्भूतजयः ॥

sthūlasvarūpasūkṣmānvayārthavattvasaṁyamādbhūtajayaḥ ||

Devido à reflexão sobre o significado da conexão entre a natureza densa e a sutil [dos elementos], há a conquista dos elementos.

sthūla-svarūpa-sūkṣma-anvaya-arthavattva-saṁyamāt = devido à reflexão sobre o significado da conexão entre a natureza densa e a sutil • ***bhūta-jayaḥ*** = a conquista dos elementos

Os cinco elementos – o espaço, o ar, o fogo, a água e a terra – são originalmente de natureza sutil e permeiam os elementos densos. Os elementos densos são constituídos por uma combinação entre os cinco elementos sutis, conforme explica o *Tattvabodhaḥ* ao explanar o processo de criação.[7]

A conquista dos elementos é o entendimento de sua natureza e do fato de que eles permeiam todo o universo. Os cinco elementos constituem o corpo físico, os cinco órgãos de ação e percepção, seus respectivos objetos e a mente e o intelecto. O objetivo dos elementos, dos corpos e dos objetos feitos dos elementos, é a experiência de prazer e a liberação final. Veja o comentário ao *Yoga Sūtra* 2.18.

3.46

ततोऽणिमादिप्रादुर्भावः कायसम्पत्तद्धर्मानभिघातश्च ॥

tato'ṇimādiprādurbhāvaḥ kāyasampattaddharmānabhighātaśca ||

Então [há o poder de] tornar-se bem pequeno [e bem grande], há o aperfeiçoamento do corpo e a capacidade de não ser afetado pelas características deles (dos elementos que compõem o corpo).

tataḥ = então • ***aṇima-ādi-prādurbhāvaḥ*** = tornar-se bem pequeno etc. • ***kāya-sampat*** = o aperfeiçoamento do corpo • ***tad-dharma-anabhighātaḥ*** = a capacidade de não ser afetado pelas características dele • ***ca*** = e

---

[7] *Tattvabodhah*, publicação do Centro de Estudos Vidya Mandir.

Com a reflexão sobre eles e a conquista dos elementos, o *yogin* consegue fazer com que seu corpo fique pequeno ou grande, como *Hanuman*, conforme relatado no *Ramāyana*. Como o corpo não é afetado pelos elementos, ele alcança a perfeição e se torna indestrutível, pois a terra não pode afetá-lo, nem a água pode afogá-lo, nem o fogo pode queimá-lo, nem o vento pode secá-lo e o espaço o acolhe.

3.47

रूपलावण्यबलवज्रसंहननत्वानि कायसम्पत् ॥

rūpalāvaṇyabalavajrasaṁhananatvāni kāyasampat ||

O aperfeiçoamento do corpo é constituído de beleza de forma, graça, força e solidez como de um diamante.

rūpa-lāvaṇya-bala-vajra-saṁhananatvāni = *é constituído de beleza, de forma, graça, força e solidez como de um diamante* • ***kāya-sampat*** = *o aperfeiçoamento do corpo*

No *sūtra* anterior foi mencionado que o *yogin* alcança a perfeição do corpo quando conquista os cinco elementos que compõem a natureza. Aqui o aperfeiçoamento do corpo é mencionado: ele ganha beleza, graça, força e solidez.

3.48

ग्रहणस्वरूपास्मितान्वयार्थवत्त्वसंयमादिन्द्रियजयः ॥

grahaṇasvarūpāsmitānvayārthavattvasaṁyamādindriyajayaḥ ||

Devido à reflexão sobre o significado da conexão entre a natureza do ser consciente e o ego, há a conquista dos sentidos.

grahaṇa-svarūpa-asmitā-anvaya-arthavattva-saṁyamāt = *devido à reflexão sobre o significado da conexão entre a natureza do ser consciente e o ego* • ***indriya-jayaḥ*** = *a conquista dos sentidos*

Grahaṇa é perceber, *grahaṇa-svarūpā* é a natureza da percepção, que se faz pelo ser consciente que percebe o mundo de objetos. A percepção se dá através dos sentidos com a ajuda da mente. Há um pensamento de percepção dos objetos e outro que é o pensamento-eu, o *ahaṅkāra* ou *asmitā*. Os dois tipos de pensamentos são chamados em sânscrito de *idam-vṛtti*, pensamento-isto, e *aham-vṛtti*, pensamento-eu; ambos são pensamentos, têm objetos diferentes, mas têm uma mesma base, a Consciência. A base comum de ambos, que é a Consciência, é a conexão entre os dois.

Neste *sūtra*, *Patañjali* menciona a conquista dos sentidos, que comumente é o ponto de referência de todo conhecimento. A conquista dos sentidos pode ser o entendimento de que os sentidos e a mente dependem da Consciência, que é o Eu.

3.49

ततो मनोजवित्वं विकरणभावः प्रधानजयश्च ॥

tato manojavitvaṁ vikaraṇabhāvaḥ pradhānajayaśca ||

Então [depois da conquista dos sentidos, o yogin *alcança] a rapidez da mente, a independência dos sentidos e a conquista da natureza.*

tataḥ = então • ***mano-javitvam*** = a rapidez da mente • ***vikaraṇa-bhāvaḥ*** = a independência dos sentidos • ***pradhāna-jayaḥ*** = a conquista da natureza • ***ca*** = e

O controle dos sentidos, que são sutis com relação aos objetos, leva ao controle do mais sutil, a mente. A mente ganha velocidade, pois ela não é mais aprisionada pelo apego dos sentidos aos seus respectivos objetos. Os sentidos não controlam mais a mente, mas a mente controla os sentidos, que são como cavalos, que levam a pessoa a seu destino, controlados pelas rédeas de um cocheiro. O domínio da mente sobre os sentidos dá ao *yogin* o comando sobre o mundo externo dos objetos, que não mais invadem e dominam a sua mente.

O *yogin* conhece o Eu, que é *Brahman*, livre do corpo, dos sentidos, da mente e dos objetos. A natureza, na forma de objetos, do corpo e dos sentidos, feitos dos cinco elementos, não é um fator de limitação do Eu.

3.50

सत्त्वपुरुषान्यताख्यातिमात्रस्य
सर्वभावाधिष्ठातृत्वं सर्वज्ञातृत्वञ्च ॥

sattvapuruṣānyatākhyātimātrasya
sarvabhāvādhiṣṭhātṛtvaṁ sarvajñātṛtvañca ||

Somente para a pessoa que tem conhecimento da diferença entre a mente e a pura Consciência, há o estado de ser a base de todos os estados mentais e de ser a capacidade de conhecer em todos os conhecimentos.

sattva-puruṣa-anyatā-khyāti-mātrasya = somente para a pessoa que tem conhecimento da diferença entre a mente e a pura Consciência • ***sarva-bhāva-adhiṣṭhātṛtvam*** = o estado de ser a base de todos os estados mentais • ***sarva-jñātṛtvam*** = o estado de ser a capacidade de conhecer em todos os conhecimentos • ***ca*** = e

O *yogin* descobre que o Eu está presente em todos os conhecimentos, como a Consciência que ilumina todos os pensamentos. Ele entende que a mente é caracterizada por uma sequência de pensamentos, mas tem como base a pura Consciência, que é o verdadeiro Eu.

"Eu sou *Puruṣa*, a pura luz da Consciência, a capacidade de conhecer em todos os pensamentos", assim ele se reconhece como presença constante.

3.51

तद्वैराग्यादपि दोषबीजक्षये कैवल्यम् ॥

tadvairāgyādapi doṣabījakṣaye kaivalyam ||

Quando há a destruição da semente do sofrimento, devido até mesmo à renúncia daqueles (poderes), há kaivalyam (a liberação final).

tad-vairāgyāt = devido à renúncia daqueles • ***api*** = até mesmo • ***doṣa-bīja-kṣaye*** = quando há a destruição da semente do sofrimento • ***kaivalyam*** = a liberação final

Na tradição dos *Vedas*, seja nas *Upaniṣads* ou na *Bhagavadgītā*, *vairāgya*, o desapego, é sempre enfatizado. E este vem sempre antecedido por *viveka*, a análise discriminativa da natureza do sujeito. O método para realizar essa análise também é explicado. Ele é constituído de escutar, refletir e contemplar. Esse processo, no entanto, não é individual, mas é feito com auxílio dos *śāstras*, através da tradição de ensinamento, que acontece de forma oral, de mestre a discípulo, chamada *sampradāya*. Somente um *sampradāyavit*, alguém que conhece a tradição de ensinamento, o método através do qual o ensinamento tem que ser passado, pode ensinar com eficácia.

Durante esse processo para aquisição do autoconhecimento, acontece o desapego. E este se dá frente àquilo que era antes valorizado, mas que se descobre não ter realidade. Através desse método, o que era identificado como eu é descoberto como falso e descartado, até o entendimento claro da verdadeira natureza do Eu, que é independente de referências externas a ele. Na ignorância, o Eu era considerado o corpo, a mente, o intelecto; no processo de questionamento com a ajuda das palavras de *Vedānta* e do mestre, esses passam a ser entendidos como objetos, e não como a natureza do sujeito.

A natureza do Eu é a completude que se traduz na experiência de felicidade. A liberação final, *kaivalya*, é o reconhecimento deste fato, que não era percebido por causa da ignorância.

Doṣa é defeito, dificuldade e, portanto, sofrimento. A semente do sofrimento é a ignorância da real natureza do Eu. Como consequência da ignorância, há a ilusão de limitação e infelicidade. Na presença de autoconhecimento, quando a ignorância se vai e os poderes são desprezados, há a liberação final tão desejada pelo *yogin*.

3.52

स्थान्युपनिमन्त्रणे सङ्गस्मयाकरणं पुनरनिष्टप्रसङ्गात् ॥

sthānyupanimantraṇe saṅgasmayākaraṇaṁ punaraniṣṭaprasaṅgāt ||

Na ocorrência de um convite para uma alta posição, não haverá novamente apego nem encantamento devido à conexão [da alta posição a ser adquirida] com o indesejável.

sthāni-upanimantraṇe = na ocorrência de um convite para

uma alta posição • ***saṅga-smaya-akaraṇaṁ*** = não haverá apego nem encantamento • ***punaḥ*** = novamente • ***aniṣṭa-prasaṅgāt*** = devido à conexão com o indesejável

O *yogin* que alcançou *kaivalyam* se libertou da ignorância com referência ao Eu e da ilusão, fonte de sofrimento. Assim, mesmo sendo convidado para exercer um papel de alta posição e fama, prefere discretamente fazer o que deve ser feito para colaborar com a sociedade. Ele será livre de ilusão e encantamento em relação a uma posição de projeção social e de fama e de tudo que provém disso. O indesejável aqui mencionado é o *saṁsāra*, a roda de altos e baixos da vida, com alegrias e tristezas, fama e desprezo, elogio e crítica. O *yogin* não será tentado a aceitar tal convite pois não está mais iludido com o mundo como fonte de felicidade, não necessita do reconhecimento dos outros para se sentir confortável. Conforme nos diz *Arjuna* no verso 2.7 da *Bhagavadgītā*:

> कार्पण्यदोषोपहतस्वभावः पृच्छामि त्वां धर्मसंमूढचेताः ।
> यच्छ्रेयः स्यान्निश्चितं ब्रूहि तन्मे शिष्यस्तेऽहं शाधि मां त्वां प्रपन्नम् ॥
>
> *kārpaṇyadoṣopahatasvabhāvaḥ*
> *pṛcchāmi tvāṁ dharmasaṁmūḍhacetāḥ* |
> *yacchreyaḥ syānniścitaṁ brūhi tanme*
> *śiṣyaste'haṁ śādhi māṁ tvāṁ prapannam* ||
>
> *Eu, dominado por covardia, com a mente incapacitada para decidir o que é certo ou errado, peço-lhe: definitivamente ensine-me aquilo que é melhor para mim. Sou seu discípulo, ensine-me, pois estou entregue a você.*

3.53

क्षणतत्क्रमयोः संयमाद्विवेकजं ज्ञानम् ॥

kṣaṇatatkramayoḥ saṁyamādvivekajaṁ jñānam ||

Por causa da reflexão sobre um momento e sua sucessão, há o conhecimento que nasce da discriminação.

kṣaṇa-tat-kramayoḥ = sobre um momento e sua sucessão • ***saṁyamāt*** = por causa da reflexão • ***vivekajam*** = que nasce da discriminação • ***jñānam*** = o conhecimento

Kṣaṇa é um momento, e o momento é sucedido por outros momentos, construindo o conceito de tempo. Mas o que é exatamente o tempo?

Tudo no universo está sujeito a mudanças, e a sequência de mudanças é chamada de tempo. Como a mudança do Sol para nós na Terra: ele nasce, chega ao seu ponto máximo no céu e começa a declinar; chamamos essa sequência de dia. Em toda a mudança contínua, existe algo que é constante e imutável, e que é a testemunha, a presença que é Consciência.

O tempo é descrito como a sequência de passado, presente e futuro, mas na reflexão sobre o tempo, o *yogin* percebe que a única realidade é o presente e que este é, em essência, presença, Consciência.

O que é chamado de sequência do tempo é uma série de momentos presentes projetada a partir de um ponto de referência, como se fosse um fluxo contínuo, mas é pura ilusão. Além do presente momento, o tempo não tem realidade.

O *yogin* entende o tempo e a realidade do tempo, que é o momento, e sabe que a realidade única dos momentos é a presença imutável, a Consciência, a testemunha de tudo.

3.54

जातिलक्षणदेशैरन्यताऽनवच्छेदात्तुल्ययोस्ततः प्रतिपत्तिः ॥

jātilakṣaṇadeśairanyatā'navacchedāttulyayostataḥ pratipattiḥ ||

A diferença é em termos de espécie, sintoma ou localização. Por não haver separação entre os dois que são da mesma classe [a mente considerada eu e a pura Consciência que é o Eu], daquele [conhecimento da mente e da pura Consciência] advém o claro conhecimento.

jāti-lakṣaṇa-deśaiḥ = em termos de espécie, sintoma ou localização • ***anyatā*** = a diferença • ***anavacchedāt*** = por não haver separação • ***tulyayoḥ*** = entre os dois que são da mesma classe • ***tataḥ*** = daquele • ***pratipattiḥ*** = o claro conhecimento

No *sūtra* 3.50, a separação e a diferença entre a mente e o Eu foi mencionada como não real, como aparente, aparentemente real. A dualidade – o indivíduo, o universo e sua causa, *Īśvara* – é percebida pelo sábio *yogin* como aparente, e a realidade única, não dual, é reconhecida como a mesma em tudo que existe.

As diferenças de espécie, sintoma e localização caracterizam o universo, mas são tão aparentes quanto o universo. Tudo o que existe possui uma única realidade. Quando o sábio *yogin* compreende que a mente, considerada eu, não é diferente do Eu, pura Consciência, ele consegue apreciar a realidade única, e advém então para ele o conhecimento claro.

3.55

तारकं सर्वविषयं सर्वथाविषयमक्रमं चेति
विवेकजं ज्ञानम् ॥

tārakaṁ sarvaviṣayaṁ sarvathāviṣayamakramaṁceti
vivekajaṁ jñānam ||

O que faz atravessar [a ignorância e o sofrimento], que se refere a todos os objetos [e] à forma como os objetos são, sem exigir um processo de transformação, é o conhecimento que nasce da discriminação.

tārakam = o que faz atravessar • ***sarva-viṣayam*** = que se refere a todos os objetos • ***sarvathā-viṣayam*** = a forma como os objetos são • ***akramam*** = sem exigir um processo de transformação • ***ca*** = e • ***iti*** = indica o final de um texto • ***vivekajam*** = que nasce da discriminação • ***jñānam*** = o conhecimento

Por fim, o mestre *Patañjali* aponta que, como diz *Vedānta*, é o conhecimento que faz a diferença, que somente o conhecimento liberta, purificando a pessoa de toda limitação, sem que precise passar por um processo de transformação.[8]

Essa é a grande diferença entre todas as visões de libertação para o ser humano. Na visão dos *Vedas*, você já é o que deseja ser; o que o impede de chegar a você mesmo é somente a ignorância e a confusão. Por isso o conhecimento é chamado de *tāraka*, aquilo que faz você atravessar o mar de ignorância e sofrimento instantaneamente.

---

[8] *Na hi jñānena sadṛśaṁ pavitramiha vidyate (Bhagavadgītā 4.38).*

Esse conhecimento libertador tem como tema o Ilimitado que é a natureza de tudo que existe, por isso o conhecimento foi mencionado aqui como *sarvaviṣayaṁ* e *sarvathāviṣayam*. Ele faz a pessoa atravessar o sofrimento, se libertar dele de forma definitiva. Não que as situações desagradáveis sumam da vida do *yogin*, mas a identificação com o eu sofredor desaparece; ele aprecia a ordem cósmica que governa o universo e tudo o que nele ocorre, aprecia o ego como aparente e tem como referência o Eu real.

O conhecimento é suficiente para a libertação do *yogin*, não exige um processo de transformação. A única transformação é em termos de conhecimento, é uma mudança cognitiva que libera imediatamente a pessoa.

Como diz o verso 6.1.4 da *Chāndogya Upaniṣad*:

येन अज्ञातं विज्ञातं भवति इति
यथा एकेन मृत्पिण्डेन सर्वं मृन्मयं विज्ञातं स्यात् ॥

yena ajñātaṁ vijñātaṁ bhavati iti
yathā ekena mṛtpiṇḍena sarvaṁ mṛnmayaṁ vijñātaṁ syāt ||

Aquilo através do qual o que não é conhecido torna-se conhecido. Assim como, através do conhecimento do barro, tudo o que é feito de barro torna-se conhecido.

3.56

सत्त्वपुरुषयोः शुद्धिसाम्ये कैवल्यमिति ॥

Sattvapuruṣayoḥ śuddhisāmye kaivalyamiti ||

Kaivalyam, a liberação final, é quando há a pura identidade entre a mente e o Eu.

sattva-puruṣayoḥ = entre a mente e o Eu • ***śuddhi-sāmye*** = quando há a pura identidade • ***kaivalyam*** = liberação final • ***iti*** = indica o final de um texto

A liberação final acontece quando a mente, preparada pela vida de *Yoga*, reflete claramente a verdade do Eu. O *yogin* percebe que ela, apesar de ser um fluxo constante de pensamentos, é essencialmente a Consciência que é imutável e não se deixa afetar por nada. Percebe que a mente não existe separada de *Puruṣa*, que é a Consciência, e não vê separação entre a mente e *Puruṣa*. "Eu sou *Puruṣa*, que é livre de limitação e completo", reconhece o *yogin*.

Essa apreciação se dá através de um pensamento específico, chamado *akhaṇḍa-ākāra-vṛtti*, no qual o pensador, o pensado e o pensamento são idênticos. Esse pensamento estabelece a clareza do conhecimento, quando a ignorância sobre o Eu desaparece e não retorna mais. Essa clareza de conhecimento é a liberação final. Mas quando o *yogin* se liberta, o universo não é destruído, ele apenas passa a ser percebido como não real, de natureza mutável e indeterminada; e o Eu é reconhecido como livre e imortal.

चतुर्थोऽध्यायः

caturtho'dhyāyaḥ

QUARTO CAPÍTULO

कैवल्य पादः

kaivalya pādaḥ

A LIBERAÇÃO

O quarto capítulo, chamado de *Kaivalya*, ou A liberação, é o último da obra do mestre *Patañjali*. A palavra *kaivalya* deriva de *kevala*, que significa único. *Kaivalya* é o estado de ser um, a realidade única.

Śrī Patañjali fala sobre a eliminação de *saṁskāras*, as tendências que nascem do desejo, que por sua vez nasce da ignorância. E, quando a ignorância é eliminada, os desejos e as tendências desaparecem, perdem sua realidade.

Tendo clareza sobre seu *sādhya*, seu objetivo, que é o autoconhecimento, seguindo então a *sādhana*, o método que consiste em escutar, refletir e contemplar, vivendo uma vida de *Yoga* - que inclui agir de acordo com o *dharma*, respeitando os valores universais e cumprindo com as próprias obrigações -, e tendo ainda estabelecido a prática diária de meditação e a constante apreciação de *Īśvara*, o *yogin* poderá adquirir conhecimento. Porém sua mente pode trazer de volta os antigos padrões de comportamento e ele se vê reagindo. O conhecimento adquirido parece ter sumido, ou estar escondido e indisponível. Esses antigos padrões que se manifestam são as *vāsanās* ou *saṁskāras*, que foram adquiridos ao longo desta e de outras vidas. São tendências que nasceram da ignorância do verdadeiro Eu e da ilusão com relação ao mundo dos objetos.

Alguns mestres defendem o que é chamado de *vāsanā-kṣaya*, a eliminação de todas as tendências presentes na mente, chamando esse estado de *mano-nāśa*, a destruição da mente. *Advaita Vedānta* e a maioria dos mestres que a representam não usam este termo, pois sabem que ele pode causar grande confusão. Se a mente fosse destruída, a pessoa estaria incapacitada para viver. Tampouco pode-se falar em eliminação do ego, pois isso seria um caso psiquiátrico, a não constituição da personalidade. Além disso, não é possível eliminar todas as tendências da mente, pois elas são numerosas e variadas.

Entendemos que a eliminação das *vāsanās*, *vāsanā-kṣaya*, é a eliminação da realidade imputada a elas, que passam a ser vistas da perspectiva da dualidade da mente, e não da natureza do Eu. Mesmo quando se manifestam, elas não limitam o indivíduo, pois são reconhecidas como *mithyā*, aparentes, não constituindo de fato o sujeito. Além disso, têm duração efêmera.

A mente é a fonte de sofrimento, mas também é ela o instrumento para a liberação, que é o conhecimento de que a luz da mente é a luz de *Puruṣa*, a Consciência livre de limitação. A mente é conhecida, e portanto é um objeto; o sujeito único é *Puruṣa*, também chamado de *Brahman*, o Absoluto, a pura Consciência.

Aparentemente, *Patañjali* segue o método de análise comum na tradição de ensinamento dos *Vedas*: a apresentação e refutação de entendimentos não válidos à luz de *Vedānta*, com o suporte da lógica e do senso comum. Assim, através de alguns *sūtras*, *Śrī Patañjali* explica a necessidade de que o conhecimento do Eu seja bem estabelecido para a liberação final.

4.1

जन्मौषधिमन्त्रतपःसमाधिजाः सिद्धयः ॥

janmauṣadhimantratapaḥsamādhijāḥ siddhayaḥ ||

Os poderes podem advir do nascimento, de plantas, de mantras, de disciplinas e do samādhi.

janmauṣadhimantratapaḥsamādhijāḥ = os poderes podem advir do nascimento, de plantas, de mantras, de disciplinas e do *samādhi* • ***sidhayaḥ*** = os poderes

Os *siddhis*, ou poderes, podem ser adquiridos já no próprio nascimento, devido a esforços feitos em nascimentos anteriores, através do uso de plantas específicas, chamadas de plantas de poder, por disciplinas de alimentação[1] ou através da repetição de mantras. Outros meios possíveis são asceses e a prática de *samādhi*.

A conquista de poderes através do nascimento.

4.2

जात्यन्तरपरिणामः प्रकृत्यापूरात् ॥

jātyantarapariṇāmaḥ prakṛtyāpūrāt ||

Da maturidade do corpo e da mente [que foi adquirida], advém a transformação em outro nascimento.

---

[1] *Swami Dattatraya* contava que o poder de *Śrī Dhirendra Brahmachari* de aguentar o frio, mesmo com neve e gelo, como pôde ser visto quando o mestre esteve na Rússia, advinha de uma alimentação específica e de *prāṇāyāmas* feitos diariamente.

jāti-antara-pariṇāmaḥ = a transformação em outro nascimento • ***prakṛti-āpūrāt*** = da maturidade do corpo e da mente

A maturidade adquirida em uma vida é carregada para a vida seguinte.

Na *Bhagavadgītā*, *Arjuna* se preocupa com o resultado produzido por disciplinas que, nesta vida, não fossem suficientes para levá-lo ao objetivo final, a liberação. *Kṛṣṇa* responde que o que é alcançado pelo próprio empenho e esforço é carregado para as vidas futuras.

Bhagavadgītā 6.37-45

अर्जुन उवाच
अयतिः श्रद्धयोपेतो योगाच्चलितमानसः ।
अप्राप्य योगसंसिद्धिं कां गतिं कृष्ण गच्छति ॥

arjuna uvāca
ayatiḥ śraddhayopeto yogāccalitamānasaḥ |
aprāpya yogasaṁsiddhiṁ kāṁ gatiṁ kṛṣṇa gacchati ||

Arjuna disse:
– Ó Kṛṣṇa, qual é o fim alcançado por aquele cujo esforço foi insuficiente, que tem confiança em yoga como meio para o conhecimento, mas cuja mente abandonou o yoga sem ter obtido sucesso no yoga?

कच्चिन्नोभयविभ्रष्टश्छिन्नाभ्रमिव नश्यति ।
अप्रतिष्ठो महाबाहो विमूढो ब्रह्मणः पथि ॥

kaccinnobhayavibhraṣṭaśchinnābhramiva naśyati |
apratiṣṭho mahābāho vimūḍho brahmaṇaḥ pathi ||

Ó Mahābāhu, Kṛṣṇa, aquele que se iludiu no caminho de Brahman, que não tem suporte para si mesmo, nem na ação nem no conhecimento e foi malsucedido em ambos, em karmayoga e na vida de renúncia, será que não se destrói, assim como uma nuvem que se separa de outras?

एतन्मे संशयं कृष्ण छेत्तुमर्हस्यशेषतः ।
त्वदन्यः संशयस्यास्य छेत्ता न ह्युपपद्यते ॥

etanme saṁśayaṁ kṛṣṇa chettumarhasyaśeṣataḥ |
tvadanyaḥ saṁśayasyāsya chettā na hyupapadyate ||

Kṛṣṇa, você é capacitado a eliminar totalmente esta minha dúvida. Não existe outro, diferente de você, que possa eliminar essa dúvida.

श्रीभगवानुवाच
पार्थ नैवेह नामुत्र विनाशस्तस्य विद्यते ।
न हि कल्याणकृत्कश्चिद्दुर्गतिं तात गच्छति ॥

śrībhagavānuvāca
pārtha naiveha nāmutra vināśastasya vidyate |
na hi kalyāṇakṛtkaściddurgatiṁ tāta gacchati ||

O Senhor Kṛṣṇa disse:
– Ó Pārtha [Arjuna], para esse, não há destruição aqui neste mundo, tampouco lá no outro. Ninguém que faça ação para a liberação alcançará um destino ruim, ó meu filho.

प्राप्य पुण्यकृतां लोकानुषित्वा शाश्वतीः समाः ।
शुचीनां श्रीमतां गेहे योगभ्रष्टोऽभिजायते ॥

prāpya puṇyakṛtāṁ lokānuṣitvā śāśvatīḥ samāḥ |
śucīnāṁ śrīmatāṁ gehe yogabhraṣṭo'bhijāyate ||

Tendo alcançado mundos produzidos por boas ações, permanecendo lá por inúmeros anos, aquele que não foi bem-sucedido em yoga nasce novamente numa família onde há cultura e riqueza.

अथवा योगिनामेव कुले भवति धीमताम् ।
एतद्धि दुर्लभतरं लोके जन्म यदीदृशम् ॥

athavā yogināmeva kule bhavati dhīmatām |
etaddhi durlabhataraṁ loke janma yadīdṛśam ||

Ou nasce numa família de *yogins* discriminativos. Em verdade, um nascimento igual a esse, neste mundo, é muito difícil de ser alcançado.

तत्र तं बुद्धिसंयोगं लभते पौर्वदेहिकम् ।
यतते च ततो भूयः संसिद्धौ कुरुनन्दन ॥

tatra taṁ buddhisaṁyogaṁ labhate paurvadehikam |
yatate ca tato bhūyaḥ saṁsiddhau kurunandana ||

Aí, nesse nascimento, ele alcança conexão com o conhecimento adquirido em outro corpo, outra vida, e esforça-se mais para a liberação, ó *Kurunandana, Arjuna.*

पूर्वाभ्यासेन तेनैव ह्रियते ह्यवशोऽपि सः ।
जिज्ञासुरपि योगस्य शब्दब्रह्मातिवर्तते ॥ ४४ ॥

pūrvābhyāsena tenaiva hriyate hyavaśo'pi saḥ |
jijñāsurapi yogasya śabdabrahmātivartate ||

Pois somente pelo impulso da busca anterior de conhecimento, mesmo sem fazer esforço, ele é levado avante. Mesmo aquele que só deseja conhecer *yoga* ultrapassa a parte inicial dos *Vedas*, sobre a ação e seus resultados.

प्रयत्नाद्यतमानस्तु योगी संशुद्धकिल्बिषः ।
अनेकजन्मसंसिद्धस्ततो याति परां गतिम् ॥

prayatnādyatamānastu yogī saṁśuddhakilbiṣaḥ |
anekajanmasaṁsiddhastato yāti parāṁ gatim ||

O *yogin*, esforçando-se apropriadamente, purificado de impurezas, tendo conquistado sucesso através de inúmeros nascimentos, alcança, então, o mais alto objetivo.

4.3

निमित्तमप्रयोजकं प्रकृतीनां वरणभेदस्तु
ततः क्षेत्रिकवत् ॥

nimittamaprayojakaṁ prakṛtīnāṁ varaṇabhedastu
tataḥ kṣetrikavat ||

A causa [de um novo nascimento] não produz transformações no corpo e na mente, mas através dela há a eliminação dos obstáculos, assim como um fazendeiro.

nimittam = a causa • ***aprayojakaṁ*** = não produz transformações • ***prakṛtīnāṁ*** = no corpo e na mente • ***varaṇa-bhedaḥ*** = a eliminação dos obstáculos • ***tu*** = mas • ***tataḥ*** = através dela • ***kṣetrikavat*** = assim como um fazendeiro

Este *sūtra* é bastante hermético. A causa aqui mencionada é *puṇya*, o resultado positivo de ações feitas no passado. *Puṇya* não é exatamente algo que vá produzir mudanças em nosso corpo e mente, mas neutraliza obstáculos que possam existir para que a maturidade possa ser alcançada.

O fazendeiro, no exemplo dado por *Śrī Patañjali*, não resolve o problema de seca na natureza, mas cria tanques de água que podem ser usados para irrigar suas terras, neutralizando assim o obstáculo que é a falta de chuva para que a necessária irrigação possa acontecer.

Entendendo a mente.

4.4

निर्माणचित्तान्यस्मितामात्रात् ॥

nirmāṇacittānyasmitāmātrāt ||

Somente devido ao pensamento-eu,
os pensamentos são produzidos.

nirmāṇa-cittāni = os pensamentos são produzidos • ***asmitā-mātrāt*** = somente devido ao pensamento-eu

Asmitā é o pensamento "*aham asmi*", "eu sou", que é chamado de *ahaṅkāra*, o conceito de eu, ou o pensamento-eu.

Na mente existem vários tipos de pensamentos. Alguns se opõem constantemente, promovendo oscilação, outros indicam determinação, enquanto outros são memórias ou lembranças do que já passou. Além desses três tipos de pensamento, há o também pensamento-eu. Este pensamento é o centralizador dos outros três. Portanto a mente depende desse pensamento-eu, *aham vṛtti*, no qual ela está centrada. Os outros pensamentos são chamados de *idam vṛtti*, pensamentos relacionados a objetos. Todos os pensamentos dependem da Consciência para existir.

A mente cósmica.

4.5

प्रवृत्तिभेदे प्रयोजकं चित्तमेकमनेकेषाम् ॥

pravṛttibhede prayojakaṁ cittamekamanekeṣām ||

Enquanto existem diferentes movimentos [de pensamentos], existe somente uma mente produtora desses vários [pensamentos].

pravṛtti-bhede = enquanto existem diferentes movimentos • ***prayojakaṁ*** = produtora • ***cittam***= mente • ***ekam*** = somente uma • ***anekeṣām*** = de vários

Os pensamentos e as mentes das pessoas são muitos e diferentes. Frente a uma mesma situação, diferentes pessoas pensam e tiram conclusões de forma variada. As mentes parecem ser diferentes e separadas. Porém, os *Vedas* dizem que existe uma mente cósmica que inclui todas as ideias, todos os pensamentos e sentimentos possíveis. Esta mente cósmica total é chamada *hiraṇyagarbha* ou *Īśvara*. Não somente a mente do indivíduo faz parte da mente cósmica, como a base da mente cósmica é a mesma Consciência que é a base da mente do indivíduo.

4.6

तत्र ध्यानजमनाशयम् ॥

tatra dhyānajamanāśayam ||

Aquela (a apreciação da mente única) nasce da meditação, é livre de depósito.

tatra = aquela (a apreciação da mente única) •
dhyānajam = nasce da meditação •
anāśayam = livre de depósito (*āśaya* = depósito)

Os *Vedas* mencionam que o processo de autoconhecimento consiste em escutar, refletir e contemplar.[2] É este processo, que culmina com a contemplação, que leva ao entendimento da identidade do indivíduo com o Todo. Através da contemplação, também chamada de meditação, o indivíduo reconhece sua identidade com o Todo e instantaneamente se liberta da limitação de estar sujeito ao ciclo de nascimentos e mortes e ao depósito de *karma*, que motiva este ciclo constante.

A causa do nascimento e da sensação de carência e limitação do ser humano é a ignorância de sua verdadeira natureza e a consequente confusão a respeito de si mesmo. O depósito que é carregado de um nascimento para outro é constituído de: ignorância de si mesmo, desejos variados e resultados positivos, *puṇya*, ou negativos, *pāpa*, das ações que realizou no passado. Esses constituem a causa do sofrimento e, no conhecimento da identidade com *Īśvara*, o indivíduo descobre, instantaneamente, ser livre de todo esse depósito. Isso porque a verdade do indivíduo é *Brahman* ou *Puruṣa*, que é livre de tudo e sempre puro.

No *sūtra* anterior, a identidade entre eles é mencionada no nível da mente. O mestre menciona que o indivíduo, ou a mente individual, faz parte da mente total, que chamamos de mente cósmica, *hiraṇyagarbha*, um todo que contém todas as mentes. Assim, o indivíduo percebe que não é separado do

---

[2] *ātmā vā are draṣṭavyaḥ śrotavyo mantavyo nididhyāsitavyo maitreyi* | *Realmente, querida Maitreyi, o Ātman tem que ser visto e, para isso, tem que ser escutado, refletido e contemplado. (Bṛhadaraṇyaka Upaniṣad 2.4.5)*

Todo, mesmo em termos relativos. Fundamentalmente, os dois são a mesma realidade absoluta, chamada de *Brahman* ou *Puruṣa*.

As ações e as tendências.

4.7

कर्माशुक्लाकृष्णं योगिनस्त्रिविधमितरेषाम् ॥

karmāśuklākṛṣṇaṁ yoginastrividhamitareṣām ||

Para o yogin, não há ação obrigatória ou proibida.
Para os outros, as ações são de três tipos.

karma-aśukla-akṛṣṇaṁ = não há ação obrigatória ou proibida • ***yoginaḥ*** = para o *yogin* • ***trividham*** = de três tipos • ***itareṣām*** = para os outros

No livro *Jivanmuktiviveka*, *śukla-karma* é definido como *vihīta-kāmya-karma*, a ação obrigatória e a impulsionada pelo desejo; *kṛṣṇa-karma* é definido como *niṣidha-karma*; e *miśra-karma* é *śukla-kṛṣṇa*, uma combinação de ambas. Esta última é a ação do ser humano comum, uma mistura de ações adequadas e não adequadas.

Neste *sūtra*, *Śrī Patañjali* diz que o *yogin* que é sábio está livre da ação, ele é diferente das outras pessoas, pois não está amarrado a obrigações, desejos e tampouco a ações que não deveriam ser feitas.

O sábio, mesmo realizando ação, sabe que nada faz, porque não se identifica como *kartā*, o agente da ação, e sim com o absoluto *Brahman*.

Bhagavadgītā 5.8,9

नैव किञ्चित्करोमीति युक्तो मन्येत तत्त्ववित् ।
पश्यञ्शृण्वन्स्पृशञ्जिघ्रन्नश्नन्गच्छन्स्वपञ्श्वसन् ॥
प्रलपन्विसृजन्गृह्णन्नुन्मिषन्निमिषन्नपि ।
इन्द्रियाणीन्द्रियार्थेषु वर्तन्त इति धारयन् ॥

naiva kiñcitkaromīti yukto manyeta tattvavit ।
paśyañśṛṇvanspṛśañjighrannaśnangacchansvapañśvasan ॥
pralapanvisṛjangṛhṇannunmiṣannimiṣannapi ।
indriyāṇīndriyārtheṣu vartanta iti dhārayan ॥

Sabendo claramente que são os órgãos mente, órgãos de percepção e ação que se movem entre os objetos, aquele que conhece a verdade, que é íntegro, considera "eu jamais faço ação", mesmo enquanto vê, escuta, toca, cheira, come, anda, dorme, respira, fala, solta, pega, abre e fecha os olhos.

Para as outras pessoas, não sábias, as ações são analisadas como *dharma* ou *adharma*, adequadas ou não, possuindo predominantemente um dos três *guṇas* - *sattva*, *rajas* e *tamas*. *Sattva* está relacionado a clareza e discriminação; *rajas*, a desejos e impulso; *tamas*, a preguiça e confusão.

No final da *Bhagavadgītā*, no verso 66 do capítulo 18, *Śrī Kṛṣṇa* diz que o sábio está livre de *dharma* e *adharma* e que ele alcança a liberação final.[3]

O *bhogin*, a pessoa comum que realiza a ação apegada ao resultado, à satisfação de seus muitos desejos, poderá fazer uma ação adequada, cujo resultado será *puṇya*, ou uma ação inadequada, cujo resultado será *pāpa*.

---

[3] *Tendo renunciado a todas as ações, busque a mim como único refúgio. Eu o libertarei de todo resultado negativo e positivo da ação. Não se entristeça.*

4.8

ततस्तद्विपाकानुगुणानामेवाभिव्यक्तिर्वासनानाम् ॥

tatastadvipākānuguṇānāmevābhivyaktirvāsanānām ||

Dessas [várias ações], advém a manifestação de tendências, somente de acordo com a frutificação delas.

tataḥ = dessas • ***tad-vipāka-anuguṇānām*** = de acordo com a frutificação delas • ***eva*** = somente • ***abhivyaktiḥ*** = a manifestação • ***vāsanānām*** = de tendências

No livro *Jīvamuktiviveka*, de Swami *Vidyāraṇya*, *vāsanā* é definida da seguinte maneira: *vāsanā dharmādharmarūpā jīvagatāh saṁskārāh*. *Vāsanās* são as tendências na forma de *dharma* e *adharma* adquiridas por uma pessoa.

No mesmo livro, Swami *Vidyāraṇya* menciona que *saṁskāras* e *vāsanās* são sinônimos e que são como um desejo que permanece na mente depois de uma experiência anterior. Para que uma tendência desapareça ela precisa ser trocada por outra, que se estabeleça na mente, no lugar antes ocupado pela anterior.

Ele ainda cita como exemplos de *vāsanās* as conexões das pessoas com as tradições de seu lugar de origem e com os costumes e as condutas de sua família, incluindo o uso da linguagem, de palavras corretas ou incorretas.

O verso 1.10 do *Laghu-yoga-vāsiṣṭha* diz que as *vāsanās* podem ser de dois tipos: puras ou impuras. As impuras são a ignorância e um forte *ahamkāra*, causa do nascimento; as *vāsanās* puras são aquelas cuja base é o conhecimento do Eu real e que são como uma semente tostada que não mais germina.

As *vāsanās* impuras, *malinā vāsanās* são de três tipos:

loka-vāsanās, o desejo de possuir nome e fama e de estar livre de críticas; *śāstra-vāsanās*, o desejo de conhecimento que consiste em querer estudar mais e mais e possuir muitos livros, o desejo de ter muitos alunos, de saber sobre diversos rituais e de conseguir executá-los perfeitamente; *deha-vāsanās*, o apego ao corpo, a falsa identificação do eu com o corpo e a preocupação em ter um corpo cheio de boas qualidades, como uma boa voz, e em ser livre de defeitos, se purificando por peregrinações e austeridades. Além dessas, mais uma *vāsanā* é mencionada por alguns mestres: *viṣaya-vāsanā*, o desejo de objetos e a dependência deles como fonte de felicidade. Os sábios dizem que essas quatro *vāsanās* devem ser descartadas por aqueles que buscam o autoconhecimento.

O verso 4.14.51 da *Suta-samhitā* diz:

लोकवासनया जन्तोः शास्त्रवासनयापि च ।
देहवासनया ज्ञानं यथावन्नैव जायते ॥

lokavāsanayā jantoḥ śāstravāsanayāpi ca.
dehavāsanayā jñānam yathāvannaiva jāyate.

O conhecimento adequado do Eu não aparece para a pessoa que tem loka-vāsanā, śāstra-vāsanā e deha-vāsanā.

Aqui, *Śrī Patañjali* fala sobre as pessoas que ainda não são sábias. Para elas existe um depósito ou reservatório de *karma* constituído pela ignorância de si mesmo e pelo resultado de ações positivas e negativas do passado, além de *vāsanās* ou *saṁskāras*, tendências adquiridas pela repetição de determinadas ações.

As ações que são repetidas inúmeras vezes se tornam automáticas; isto quer dizer que, no início, elas foram repetidas deliberadamente, mas depois passaram a se repetir por si mesmas, de forma automática, independentemente da escolha da pessoa. As tendências nascem somente da repetição de determinada ação; pela repetição, a ação ganha vida própria.

O reservatório de *karma*, o *sañcitta-karma*, contém toda a bagagem da pessoa; dele, sai o *prārabdha-karma*, que determina o tipo de corpo, de mente, de situação social e familiar e outros fatores do nascimento, além do que será vivido em determinada vida. Durante a vida, são realizadas novas ações, chamadas de *āgāmi-karma*, cujo resultado vai se juntar a esse reservatório. Essa é a ordem ou lei do *karma*, uma lei que não falha, que faz parte do universo, é inerente a ele, como a lei da gravidade.

4.9

जातिदेशकालव्यवहितानामप्यानन्तर्यं
स्मृतिसंस्कारयोरेकरूपत्वात् ॥

jātideśakālavyavahitānāmapyānantaryaṁ
smṛtisaṁskārayorekarūpatvāt ||

Há uma continuidade ininterrupta de lembranças e impressões, apesar da separação por intervalos de condição social, local e época; porque as lembranças e as impressões têm natureza idêntica.

jāti-deśa-kāla-vyavahitānām = da separação por intervalos de condição social, local e época • ***api*** = apesar • ***ānantaryam*** = uma continuidade ininterrupta • ***smṛti-saṁskarāyoḥ*** = de lembranças e impressões • ***ekarūpatvāt*** = porque têm natureza idêntica

As lembranças e impressões têm natureza idêntica, no sentido de que ambas são registros em estado não manifesto, potencial, e se manifestam no momento certo. Elas fazem parte do depósito total do *karma* e tomam forma em determinada vida, causando as peculiaridades necessárias a ela.

As palavras *vāsanas* e *saṁskāras* são sinônimas. As *vāsanas* são chamadas de *mano-vāsanas* pois pertencem à mente, ao chamado corpo sutil, *sūkṣmaśarīra*, assim como a memória.

Apesar de a vida de uma pessoa ser marcada por um início, o nascimento, e o fim, a morte, na visão védica ela é muito mais do que isso; ela é derivada de vidas passadas e a causa de vidas futuras. Do ponto de vista maior, esse processo é contínuo; apesar das características tão diferenciadas de lugar, época e situação social, o ciclo das várias vidas é um processo lógico e sequencial de aquisição de maturidade e, depois, de busca e aquisição do autoconhecimento. Então, por fim, com a eliminação da ignorância da realidade do Eu, não há mais necessidade de renascimento.

Mais sobre as tendências.

4.10

तासामनादित्वं चाशिषो नित्यत्वात् ॥

tāsāmanāditvaṁ cāśiṣo nityatvāt ||

E para essas [tendências] não há início,
pois o desejo é sempre existente.

tāsām = para essas • ***anāditvam*** = não há início • ***ca*** = e • ***āśiṣaḥ*** = o desejo • ***nityatvāt*** = pois é sempre existente

A palavra usada aqui para desejo é *āśiṣ*, que significa uma bênção.

Aqui a bênção é para si mesmo: "que eu não deixe de existir", "que eu viva sempre". Por isso a palavra é entendida como desejo de ser eterno e completo, feliz e sempre existente.

A eternidade, *nityatva*, é mencionada de duas maneiras: *atyanta-nityatva*, o absoluto *Brahman* que não tem início nem fim, pois está além do tempo; e *pravāha-nityatva*, o que é contínuo, que existe sempre em um fluxo contínuo no tempo. A ignorância é sempre existente no universo, e o desejo, fruto imediato da ignorância, também. O desejo é chamado de eterno, mas não o eterno que é *Brahman* – além do tempo e espaço –, mas eterno no sentido de sempre existir dentro do tempo.

Devido à ignorância da natureza eterna do Eu, há o desejo de ser completo e eterno; esse desejo básico se transforma em vários outros – de ser alguém diferente e de adquirir coisas para ser feliz. O desejo conduz a uma ação que produz um resultado, causando novos desejos. A repetição de desejos e ações cria uma tendência; as tendências são muitas e não têm um início específico. Esse ciclo contínuo é chamado *samsāra*.

Diz-se que não há um início para a ignorância e para seus produtos – o desejo e as tendências. A ignorância é objeto de nossa experiência e existe desde sempre. Mas pode ser eliminada!

4.11

हेतुफलाश्रयालम्बनैः संगृहीतत्वादेषामभावे तदभावः ॥

hetuphalāśrayālambanaiḥ
saṅgṛhītatvādeṣāmabhāve tadabhāvaḥ ||

Na não existência daqueles (a ignorância e o desejo, as ações, o prazer e a dor, a mente, o corpo e os objetos), aqueles (os saṁskāras ou tendências) não existem, pois estão atrelados uns aos outros através de sua causa (a ignorância), seu resultado (o prazer e a dor), sua base (a mente) e seu suporte (o corpo e os objetos).

hetu-phala-āśraya-ālambanaiḥ = através da sua causa (a ignorância e o desejo), seu resultado (as ações que produzem prazer e dor), sua base (a mente) e seu suporte (o corpo e os objetos) • ***saṅgṛhītatvāt*** = pois eles estão atrelados uns aos outros • ***eṣām*** = daqueles • ***abhāve*** = na não existência • ***tad*** = aqueles (*saṁskāras* ou tendências) • ***abhāvaḥ*** = não existem

Os *saṁskāras*, as tendências, continuam a existir porque sua existência depende de sua causa, que é a ignorância do sujeito. Além disso, a ignorância do Eu livre de limitação conduz ao desejo de se tornar completo e às ações com essa finalidade; essas produzem prazer e dor como resultado; a base para a existência das tendências é a mente, pois esse é o local onde elas estão guardadas; e o que lhes dá suporte são o corpo físico e os objetos.

Enquanto existem a ignorância e os desejos, a mente, o corpo e o mundo são considerados reais e, consequentemente, as tendências também têm existência.

Na não existência da ignorância, as tendências também não têm existência. Isso porque a ignorância do Eu real é a causa de tudo, em especial dos desejos e das tendências.

Os resultados dos *saṁskāras* são os impulsos para novas ações que continuam, depois desta vida, em muitas outras vidas. Enquanto existir a ignorância, vão existir a identificação com o falso eu, o desejo de ser completo, as ações e seus resultados e novas tendências que se mantêm. No descobrimento da real natureza do Eu, me liberto da identificação com o corpo e a mente, de seu conteúdo e das muitas tendências; que passam a ser reconhecidos como não reais, aparentes, *mithyā*.

As mudanças constituem o tempo.

4.12

अतीतानागतं स्वरूपतोऽस्त्यध्वभेदाद्धर्माणाम् ॥

atītānāgataṁ svarūpato'styadhvabhedāddharmāṇām ||

Devido à diferença na distância entre as características, [fala-se sobre] passado e futuro que existem em sua própria natureza [que é o presente].

atīta-anāgatam = passado e futuro • ***svarūpataḥ*** = em sua própria natureza [o presente] • ***asti*** = existem • ***adhva-bhedād*** = devido à diferença na distância • ***dharmāṇām*** = entre as características

Os três - passado, presente e futuro - parecem ter realidade própria devido às diferenças entre eles. As características são diferentes, mas a natureza essencial do passado e do futuro é o presente, o único que de fato existe. O passado existiu quando era presente, e o futuro, quando existir, será presente. A verdade de ambos é o presente. E o presente é constituído de momentos passados e momentos futuros, sua verdade é a presença. Esta presença é Consciência.

Śri Kṛṣṇa diz que o que é existente não pode deixar de existir e o não existente não pode passar a existir; no meio, entre esses dois, entre existente, *sat*, e não existente, *asat*, há o que parece existir, mas está em constante mudança.

Bhagavadgita 2.16

नासतो विद्यते भावो नाभावो विद्यते सतः ।
उभयोरपि दृष्टोऽन्तस्त्वनयोस्तत्त्वदर्शिभिः ॥

nāsato vidyate bhāvo nābhāvo vidyate sataḥ |
ubhayorapi dṛṣṭo'ntastvanayostattvadarśibhiḥ ||

Para o inexistente, não há existência; para o existente, não há inexistência. Mas a verdade de ambos é conhecida totalmente pelos conhecedores da verdade.

Como diz *Sri Ramana Maharshi* no verso 17 de seu *Sad-darśanam*:

भूतम्भविष्यच्च भवत्स्वकाले तद्वर्तमानस्य विहाय तत्त्वम् ।
हास्या न किं स्याद्गतभाविचर्चा विनैकसंख्यं गणनेव लोके ॥

bhūtambhaviṣyacca bhavatsvakāle
tadvartamānasya vihāya tattvam |
hāsyā na kiṁ syādgatabhāvicarcā
vinaikasaṅkhyaṁ gaṇaneva loke ||

Passado, futuro e presente são presente no seu tempo. Abandonando a verdade daquele presente, não é razão para rir, uma discussão sobre o passado e futuro?! Assim como, no mundo, contar sem o número um.

O tempo é aparente, existe enquanto é experienciado ou ganha realidade quando é mencionado. Sua verdade é a base imutável, Consciência.

Os *saṁskāras* pertencem ao *jīva*, o indivíduo histórico, com seus vários nascimentos e mortes. Não há *saṁskāras* para a Consciência, que é sempre pura, sempre a mesma. O *jīva* e suas tendências terminam quando ele se reconhece como a pura Consciência.

Dharmānām adhvabhedāt significa a diferença (*bheda*)

na distância (*adhva*) entre as características (*dharma*). As características são nome (*nāma*) e forma (*rūpa*), que estão em constante mudança. A distância entre as características é a sua constante mudança. É do ponto de vista da mudança que falamos em tempo. Como, por exemplo, a mudança do corpo físico - era jovem, é de meia-idade, será idoso. Tendo o corpo como ponto de vista, podemos falar sobre passado, presente e futuro; porém, do ponto de vista da realidade dos três tempos, temos a presença (no passado), a presença (no presente), a presença (no futuro); a verdade imutável é a presença constante, que é Consciência, a base para tudo que existe. Não se podem considerar somente as mudanças, sem apreciar a verdade imutável, isso é ridículo, uma razão para rir - perder o principal e se agarrar ao aparente!

4.13

ते व्यक्तसूक्ष्मा गुणात्मानः ॥

te vyaktasūkṣmā guṇātmānaḥ ||

Eles (os três tempos) são manifestos e sutis e têm a natureza dos guṇas (as três qualidades básicas da natureza).

te = eles (os três tempos) • ***vyakta-sūkṣmāḥ*** = manifestas e sutis • ***guṇātmānaḥ*** = da natureza dos *guṇas* ou qualidades básicas da natureza

As características, *dharma*, são encontradas em sua forma manifesta física ou na forma sutil, só evidente na forma de pensamento.

Entre os três tempos, o presente é manifesto e o passado e o futuro são sutis, não manifestos. Os *guṇas* são: *sattva*, *rajas* e *tamas*. Assim como todo o universo é constituído de três *guṇas*, os três tempos também o são. O único *nirguṇa*, livre de *guṇas*, é a Consciência que é *Brahman*.

A modificação dos *guṇas* tem uma unidade.

4.14

परिणामैकत्वाद्वस्तुतत्त्वम् ॥

pariṇāmaikatvādvastutattvam ॥

A natureza de um objeto é devida à unidade da transformação.

pariṇāma-ekatvāt = devida à unidade da transformação • ***vastu-tattvam*** = a natureza de um objeto

Os objetos no universo são percebidos pelos cinco sentidos – os ouvidos, os olhos, a língua, o nariz e a pele. Podemos então falar sobre cinco tipos de objetos, que são captados pelos sentidos e têm a mente como base. Os objetos sofrem transformações, e essas mudanças são governadas por leis claras e confiáveis por serem infalíveis. Essas leis, vistas coletivamente, são chamadas de Ordem Cósmica, ou *Īśvara*, em sânscrito. Apesar de os objetos constantemente sofrerem mudanças (*pariṇāma*), como estas obedecem a várias ordens governadas por uma ordem maior, os objetos parecem ganhar realidade pela unidade da Ordem Cósmica. A realidade do universo e dos objetos contidos nele é relativa, diferente da realidade subjetiva que pertence a determinada pessoa.

Para saber mais sobre a ordem de transformação do universo, veja o chamado Processo de Transformação, no livro de *Śrī Śaṅkarācārya*, *Tattvabodhaḥ*.

Os objetos não têm autonomia de existência, dependem

da Consciência, que é sempre presente. Além disso, os objetos estão sempre mudando, são *anityāḥ*.

Bhagavadgita 2.14

मात्रास्पर्शास्तु कौन्तेय शीतोष्णसुखदुःखदाः ।
आगमापायिनोऽनित्यास्तांस्तितिक्षस्व भारत ॥

mātrāsparśāstu kaunteya śītoṣṇasukhaduḥkhadāḥ ।
āgamāpāyino'nityāstāṁstitikṣasva bhārata ॥

Os contatos dos sentidos com os objetos trazem frio, calor, alegria e tristeza, são de curta duração e impermanentes, ó Kaunteya [Arjuna]. Ó Bhārata [Arjuna], tenha tolerância com eles.

Apesar de ser *mithyā*, a realidade dos objetos não depende dos indivíduos, mas pertence a uma ordem cósmica, que é *Īśvara*. Só porque *Vedānta* diz que o universo é não real, isso não quer dizer que ele seja um caos, sem ordem, onde qualquer coisa pode acontecer. Os *sūtras* a seguir explicam que os objetos, apesar de não reais, possuem realidade relativa.

A diferença entre o objeto e o pensamento e a relação entre eles.

4.15

वस्तुसाम्ये चित्तभेदात्तयोर्विभक्तः पन्थाः ॥

vastusāmye cittabhedāttayorvibhaktaḥ panthāḥ ॥

O objeto, sendo o mesmo, devido à diferença entre os pensamentos, há um caminho separado para os dois (o objeto e o pensamento sobre o objeto).

vastu-sāmye [*sati*] = o objeto sendo o mesmo • ***citta-bhedāt*** = devido à diferença entre os pensamentos [sobre os objetos] • ***tayoḥ*** = para os dois (o objeto e o pensamento sobre o objeto) • ***vibhaktaḥ*** = separado • ***panthāḥ*** = caminho

A natureza dos objetos é analisada. Embora a realidade de um objeto dependa da percepção dele, que é o pensamento sobre ele, o objeto não depende da mente. O mundo não é o pensamento sobre o mundo. O universo existe fora do pensamento sobre ele.

A diferença entre os pensamentos se deve à diferença entre a percepção do objeto e a interpretação dele.

Vedānta nos diz que os objetos e a mente, junto aos sentidos, têm a mesma realidade. Ambos fazem parte de uma realidade objetiva. A visão ou interpretação de uma mente com relação aos objetos ou ao mundo é uma realidade subjetiva, particular. Existe ainda a realidade absoluta, imutável, que é a verdade básica e intrínseca a tudo o que existe.

Śrī Patañjali diz que há uma unidade no objeto, pois apesar de estar em constante transformação, tudo faz parte da Ordem Cósmica que é *Īśvara*. O universo se manifesta e se modifica de acordo com as leis, que são *Īśvara*. A mente individual possui uma subjetividade com relação ao mundo dos objetos, mas essa subjetividade é somente a interpretação dos objetos.

Os objetos não estão sujeitos à mente individual.

Apesar de os objetos serem de natureza objetiva, sendo vistos por todos da mesma forma, a mente de cada indivíduo percebe o mesmo objeto de forma diferente. Um diz que o objeto é bonito e desejável, outro que é feio e indesejável, outro ainda, que é indiferente, por exemplo. Isso é chamado de realidade subjetiva e difere de pessoa para pessoa.

Assim, parecem ser objetos diferentes. A mesma pessoa pode ser bonita e simpática para um e antipática e feia para outro. Parece que estamos falando de objetos diferentes, porém, os objetos são de natureza objetiva, a interpretação deles é que é subjetiva. Ao mesmo tempo, tanto a mente quanto o objeto têm uma mesma realidade, que é a realidade objetiva governada por *Īśvara*, por suas leis cósmicas.

4.16

न चैकचित्ततन्त्रं चेद् वस्तु तदप्रमाणकं
तदा किं स्यात् ॥

na caikacittatantraṁ ced vastu tadapramāṇakaṁ tadā kiṁ syāt ||

E um objeto não pode depender de um pensamento.
Se assim fosse, como poderia haver um meio para conhecê-lo (o objeto)? Não haveria.

na = não pode • ***ca*** = e • ***eka-citta-tantram*** = depender de um pensamento • ***ced*** = se assim fosse • ***vastu*** = um objeto • ***tad-apramāṇakam*** = não haveria um meio para conhecer • ***tadā kiṁ syāt*** = como poderia haver

Objetos não dependem de um pensamento, objetos têm realidade objetiva, *vyāvahārika-satta*; enquanto os pensamentos sobre eles têm realidade subjetiva, *prātibhāsika-satta*. Só porque alguém vê um objeto de forma diferente (como uma corda que é vista como cobra), não é possível que o objeto se modifique (a corda não se torna cobra por isso). Se assim fosse, não haveria ordem no universo, tudo estaria sujeito à mente de cada um. Porém, sabemos que o universo é governado por leis cósmicas, e não individuais.

Não é possível que a realidade esteja em constante transformação; é necessário que haja algo imutável, ao redor do qual as transformações acontecem. Se tudo se modifica constantemente dependendo dos indivíduos, como pode ser possível a aquisição de algum conhecimento?! Não seria possível, pois o meio de conhecimento seria subjetivo, não universal, perdendo então sua confiabilidade.

Em *Vedānta*, a realidade é vista como única e imutável, a base para todo o universo e suas transformações; ela é a pura Consciência. O mundo dos objetos e os pensamentos dependem da Consciência.

Por isso a *Kena Upaniṣad* explica a Consciência como o olho do olho, que é também a mente da mente, e o ouvido do ouvido; é aquilo que faz com que todo o universo seja o que é.

4.17

तदुपरागापेक्षित्वाच्चित्तस्य वस्तु ज्ञाताज्ञातम् ॥

taduparāgāpekṣitvāccittasya vastu jñātājñātam ||

Um objeto é conhecido ou não conhecido de acordo com a capacidade da mente de condicioná-lo (o objeto).

tad-uparāga-apekṣitvāt = de acordo com a capacidade de condicionar aquele • ***cittasya*** = da mente • ***vastu*** = um objeto • ***jñāta-ajñātam*** = conhecido ou não conhecido

Um objeto tem realidade objetiva, existe e está disponível para ser conhecido pelos sentidos e a mente. Através de um pensamento, um *vṛtti*, um pensamento na forma do objeto, *viṣaya-ākara-vṛtti*, o objeto é conhecido. A mente registra o objeto e, assim, ele é conhecido, mas a realidade do objeto não depende da mente. Todo objeto é conhecível.

Os sentidos vão até o objeto, o registram e mandam esse registro para a mente; este pensamento é chamado de *vṛtti-vyāpti*. Então, há outro pensamento de cognição que revela o objeto; este pensamento é chamado de *phala-vyāpti*. Estes dois momentos do pensamento transformam um objeto não conhecido em objeto conhecido. Dessa maneira, todo e qualquer objeto é conhecido. Para um objeto ser conhecido, a mente deve captá-lo com a ajuda dos sentidos.

Porém o conhecimento do sujeito, que é Consciência, é diferente. Através das palavras do ensinamento, o Eu é revelado para a mente através de *vṛtti-vyāpti*, mas o *phala-vyāpti* não é necessário, pois o Eu não é totalmente desconhecido. A ignorância desaparece e nesse momento o Eu que já está presente, na forma de Consciência, torna-se evidente; o Eu não precisa ser evidenciado, ele é autoevidente, *svataḥ siddhaḥ*!

4.18

सदा ज्ञाताश्चित्तवृत्तयस्तत्प्रभोः पुरुषस्यापरिणामित्वात् ॥

sadā jñātāścittavṛttayastatprabhoḥ puruṣasyāpariṇāmitvāt ||

Os pensamentos da mente são sempre conhecidos devido à imutabilidade de Puruṣa, que é seu senhor.

sadā = sempre • ***jñātāḥ*** = conhecidos • ***citta-vṛttayaḥ*** = os pensamentos da mente • ***tatprabhoḥ*** = que é seu senhor • ***puruṣasya*** = de *Puruṣa* • ***apariṇāmitvāt*** = devido à imutabilidade

A Consciência imutável é chamada de *Puruṣa*, também chamado de senhor dos pensamentos, pois os pensamentos dependem dele, não existem independentes de *Puruṣa*. Do ponto de vista da mente, os objetos podem ser conhecidos ou não, ser enquadrados ou não por determinado pensamento. Porém, do ponto de vista de *Puruṣa* ou Consciência, os pensamentos são sempre conhecidos, pois todos existem na Consciência e são iluminados por ela. Para a Consciência todos os pensamentos são objetos, inclusive o pensamento-eu, *aham-vṛtti* ou *ahaṅkāra*.

A Consciência é imutável, está sempre na forma de luz que tudo ilumina, luz que não se apaga. A Consciência não muda, é a base da mente, e por isso é aqui chamada de senhor da mente.

4.19

न तत्स्वाभासं दृश्यत्वात् ॥

na tat svābhāsaṁ dṛśyatvāt ||

Aquela (a mente) não tem luz própria, pois é vista.

na = não • ***tat*** = aquela (a mente) •
svābhāsaṁ = luz própria • ***dṛśyatvāt*** = pois é vista

Esta é a visão de *Vedānta*: o eu parece ser a mente, porém, ao analisarmos a natureza da mente, vemos que ela é um objeto, e não o sujeito. Isso porque os pensamentos são objetificados, dependem de um sujeito para iluminá-los, revelá-los. Então, quem os objetifica?! A Consciência, que é *Puruṣa*. Essa Consciência ilumina tudo e também a si mesma, não dependendo de nada para iluminá-la e revelá-la. Já a mente não possui luz própria, necessitando da Consciência para iluminá-la, para ser revelada. O sujeito é um único – a Consciência que está sempre presente.

Como suporte para isso temos:

Muṇḍaka Upaniṣad 2.2.10

न तत्र सूर्यो भाति न चन्द्रतारकं नेमा विद्युतो भान्ति कुतोऽयमग्निः ।
तमेव भान्तमनुभाति सर्वं तस्य भासा सर्वमिदं विभाति ॥

na tatra sūryo bhāti na candratārakam nemā
vidyuto bhānti kutoyamagniḥ |
tameva bhāntamanubhāti sarvam tasya
bhāsā sarvamidam vibhāti ||10||

O sol não ilumina aquele (Brahman), nem a lua, nem as estrelas e nem os relâmpagos. O que dizer deste fogo? Aquele brilhando, tudo o mais brilha. Por causa da luz daquele tudo o mais brilha.

Kena Upaniṣad 1.6

यन्मनसा न मनुते येनाहुर्मनो मतम् ।
तदेव ब्रह्म त्वं विद्धि नेदं यदिदमुपासते ॥

yanmanasā na manute yenāhurmano matam |
tadeva brahma tvaṁ viddhi nedaṁ yadidamupāsate ||

Aquele que não é pensado pela mente, mas através do qual, dizem, a mente é capaz de pensar. Saiba você que esse é Brahman. Não é esse no qual (as pessoas) meditam.

Dṛgdṛśyavivekaḥ

रूपं दृश्यं लोचनं दृक् तद् दृश्यं दृक्तु मानसम् ।
दृश्या धीवृत्तयस्साक्षी दृगेव न तु दृश्यते ॥

rūpaṁ dṛśyaṁ locanaṁ dṛk tad dṛśyaṁ dṛktu manasam |
dṛśyā dhīvṛttayassākṣī dṛgeva na tu dṛśyate ||

A forma é vista, o olho, quem vê. Aquele é visto, a mente, quem vê. As modificações da mente (os pensamentos) são vistos, a testemunha é realmente quem vê, mas não é vista.

4.20

एकसमये चोभयानवधारणम् ॥

ekasamaye cobhayānavadhāraṇam ||

E, no mesmo momento, não há determinação de ambos (do objeto e do pensamento sobre o objeto).

eka-samaye = no mesmo momento • ***ca*** = e • ***ubhaya-anavadhāraṇam*** = não há determinação de ambos (o objeto e o pensamento)

Na mente deve haver um pensamento de cada vez, a Consciência, porém, está sempre presente, a iluminar cada pensamento ou a ausência dele. O pensamento sobre um objeto e o pensamento sobre o pensar, que é o pensamento que tem um pensamento como objeto, não podem ocorrer ao mesmo tempo.

A mente é considerada o conjunto formado por mente, intelecto, memória e ego, e é denominada *antaḥkaraṇa*; todos esses são pensamentos e são diferenciados somente pela natureza do pensamento. O fluxo de pensamento da mente é de oscilação, o do intelecto é de determinação, o do ego é de centralização da noção de eu e o da memória é o registro de lembrança.

A mente, que é um fluxo de pensamentos, ilumina um objeto de cada vez, entretém um pensamento de cada vez. Dois pensamentos não podem estar presentes ao mesmo tempo. Seja o pensamento sobre dois objetos diferentes ou o pensamento sobre o objeto e o pensamento sobre o pensar. O pensamento sobre o pensar significa a mente consciente de si mesma, iluminando a si mesma. Mas a mente depende da Consciência para ser revelada. A mente entretém objetos, mas, para a Consciência, ela é objeto.

O objeto de estudo do *Yoga* é a mente, *antaḥkaraṇa*, e a capacitação dela. O objeto de estudo de *Vedānta* é o Eu que é Consciência, luz que não se apaga e que tudo ilumina. Apesar de *Yoga* e *Vedānta* fazerem parte da mesma tradição de autoconhecimento dos *Vedas*, o foco principal de cada um é diferente.

Alguns consideram que a mente é iluminada por outra mente.

4.21

चित्तान्तरदृश्ये बुद्धिबुद्धेरतिप्रसङ्गः स्मृतिसङ्करश्च ॥

cittāntaradṛśye buddhibuddheratiprasaṅgaḥ smṛtisaṅkaraśca ||

Se [a mente] fosse vista por outra mente, haveria o retrocesso infinito de uma mente [vista] por outra mente e confusão em relação à memória.

citta-antara-dṛśye = vista por outra mente • ***buddhi-buddheḥ*** = de uma mente por outra mente • ***atiprasaṅgaḥ*** = a falácia chamada *regressum ad infinitum*, ou retrocesso infinito • ***smṛti-saṅkaraḥ*** = confusão em relação à memória • ***ca*** = e

Se alguém afirma que não há uma Consciência única que tudo ilumina, mas que a mente é iluminada por outra mente, e é essa outra que é o sujeito, haveria uma falácia lógica, pois, se uma mente ilumina outra, terá que ser iluminada por outra, que será iluminada por outra, num processo sem fim.

Um pensamento só poderia ser conhecido quando ocorresse outro para iluminá-lo, e assim sucessivamente. Não haveria conhecimento no exato momento em que o pensamento ocorreu, mas um pouco depois! Como a memória é também um pensamento, ela também sofreria do mesmo problema. Uma memória não estaria disponível, mas dependeria da seguinte. Seria uma confusão para a memória, pois cada memória está ligada a uma mente, que depende de outra que possui outras memórias diferentes ligadas a ela! Até para lembrar de algo seria difícil!

Um pensamento sobre outro pensamento que já passou é uma memória. Se, para um pensamento ser conhecido, ele precisasse de outro que o iluminasse, e outro então para iluminar este último, onde entraria a memória de algum pensamento já ocorrido? Seria uma verdadeira confusão – representando também um regresso infinito e a impossibilidade de uma clara memória.

Kena Upaniṣad 1.1,2

ॐ केनेषितं पतति प्रेषितं मनः केन प्राणः प्रथमः प्रैति युक्तः ।
केनेषितम् वाचमिमां वदन्ति चक्षुः श्रोतं क उ देवो युनक्ति ॥

Om keneṣitaṁ patati preṣitaṁ manaḥ kena prāṇaḥ prathamaḥ praiti yuktaḥ |
keneṣitāṁ vācamimāṁ vadanti cakṣuḥ śrotraṁ ka u devo yunakti ||

Sendo comandado pelo desejo de quem, a mente vai (para diversos objetos)? Comandado por quem, o prāṇa, que é o primeiro, vai (às suas atividades)? Desejada por quem, esta fala é articulada? Qual poder impele os olhos e os ouvidos (a seus objetos)?

श्रोत्रस्य श्रोतं मनसो मनो यद् वाचो ह वाचं स उ प्राणस्य प्राणः ।
चक्षुषश्चक्षुरतिमुच्य धीरः प्रेत्यास्माल्लोकादमृता भवन्ति ॥

śrotrasya śrotraṁ manaso mano yad vāco ha vācaṁ sa u prāṇasya prāṇaḥ |
cakṣuṣaścakṣuratimucya dhīrāḥ pretyāsmāllokādamṛtā bhavanti ||

É o ouvido do ouvido, a mente da mente, a fala da fala, o prāṇa do prāṇa, o olho do olho; os sábios [conhecendo e] abandonando [as noções errôneas], dando as costas para este mundo, tornam-se imortais.

Em algum momento temos que parar e considerar a realidade última, que não exige outra que a ilumine. As *Upaniṣads* dizem que esta é a Consciência, *Caitanya*, que é chamada de *Brahman* ou *Puruṣa*.

Bhagavadgītā 2.17, 20

अविनाशि तु तद्विद्धि येन सर्वमिदं ततम् ।
विनाशमव्ययस्यास्य न कश्चित्कर्तुमर्हति ॥

avināśi tu tadviddhi yena sarvamidaṁ tatam |
vināśamavyayasyāsya na kaścitkartumarhati ||

Conheça aquilo que é indestrutível, pelo qual tudo é permeado. Ninguém é capaz de causar a destruição daquilo que é imutável.

न जायते म्रियते वा कदाचिन्नायं भूत्वाभविता वा न भूयः ।
अजो नित्यः शश्वतोऽयं पुराणो न हन्यते हन्यमाने शरीरे ॥ २० ॥

na jāyate mriyate vā kadācinnāyaṁ bhūtvābhavitā vā na bhūyaḥ |
ajo nityaḥ śaśvato'yaṁ purāṇo na hanyate hanyamāne śarīre || 20 ||

Este [Eu] não nasce nem jamais morre; existindo, nunca voltará a não existir novamente. Este não nasce, é eterno, imutável, sempre o mesmo. Quando o corpo é destruído, ele não é destruído.

Se a mente não ilumina a si mesma, e, portanto, não pode conhecer a si mesma, como pode o Eu, que nada faz, iluminar a mente?!

4.22

चितेरप्रतिसङ्क्रमायास्तदाकारापत्तौ स्वबुद्धिसंवेदनम् ॥

citerapratisaṅkramāyāstadākārāpattau svabuddhisaṁvedanam ||

A Consciência sendo imutável, quando [a mente] assume a forma de algo, há a evidência do pensar.

citeḥ = a Consciência • ***apratisaṅkramāyāḥ*** = sendo imutável • ***tad-ākāra-āpattau*** = quando assume a forma de algo • ***svabuddhi-saṁvedanam*** = a evidência do pensar

A consciência da mente é a Consciência, que é *Puruṣa*. Essa se reflete na mente, que é de natureza sutil, e torna a mente consciente, capaz de pensar. Apesar de a Consciência ser única e imutável, quando refletida na mente, parece se transformar em incontáveis pensamentos de naturezas diversas. A capacidade da mente de pensar é possível por causa da Consciência única.

Por fim podemos entender sobre a mente.

4.23

द्रष्टृदृश्योपरक्तं चित्तं सर्वार्थम् ॥

draṣṭṛdṛśyoparaktaṁ cittaṁ sarvārtham ||

A mente, que é colorida por sujeito e objeto, tem tudo como seu objeto.

draṣṭṛ-dṛśya-uparaktam = que é colorida por sujeito e objeto • ***cittam*** = a mente • ***sarva-artham*** = tem tudo como seu objeto

A mente é colorida por sujeito e objeto, pois toma a forma de objetos e do sujeito; é constituída de pensamento-eu, *aham vṛtti*, e pensamento-isto, *idam vṛtti*, e ambos são objetos da mente. O sujeito é um conceito da mente, o conceito de eu, o *ahaṅkāra*. A mente pode objetificar tudo que existe. Mas ela é também um objeto para o Eu![4]

É a mente que pode conhecer a verdade do Eu, através de um pensamento específico chamado de *akhanda-ākāra-vṛtti*, onde a realidade única, que é a verdade do sujeito, do criador e da criação, é evidenciada. Quando este pensamento ocorre, os três - *jīva*, *Īśvara* e *jagat* - desaparecem e somente a realidade una e única dos três permanece.

---

[4] *rūpaṁ dṛśyaṁ locanaṁ dṛk tad dṛśyaṁ dṛk tu manasam*
dṛśyā dhīvṛttayassākṣī dṛgeva na tu dṛśyate ||
A forma é vista e o olho é aquele que vê. Mas aquele olho é visto e a mente é aquele que vê. Os pensamentos mentais são vistos e a testemunha é aquele que vê, e ela, a testemunha, jamais é vista; não é objeto, é sempre sujeito. (Dṛg-dṛsya-vivekaḥ 1)

4.24

तदसंख्येयवासनाभिश्चित्रमपि परार्थं
संहत्यकारित्वात् ॥

tadasaṅkhyeyavāsanābhiścitramapi parārthaṁ saṁhatyakāritvāt ॥

Aquela (mente) é também variada, com inúmeras tendências; [ela existe] para servir a outro, por ser uma construção em agrupamento.

tad = aquela • ***asaṅkhyeya-vāsanābhiḥ*** = com inúmeras tendências • ***citram*** = variada • ***api*** = também • ***parārthaṁ*** = para servir a outro • ***saṁhatya-kāritvāt*** = por ser uma construção em agrupamento

A mente é um *saṅghāta*, é construída de vários elementos, assim como uma casa ou um carro. Esses elementos são colocados juntos para um propósito, para servir a alguém, não para si mesmos. Uma casa é feita para uma pessoa, não para servir à própria casa.

A mente é constituída de uma série de pensamentos de diferentes tipos que estão em constante mudança. Alguns pertencem à mente consciente, como emoções, gostos, aversões, desejos, impulsos. Além disso, temos as tendências, *vāsanas*, que fazem parte do inconsciente e, em determinado momento, se manifestam, se tornam evidentes. A mente tem a função de possibilitar a experiência do mundo, mas sua maior função é o autoconhecimento.[5]

Apesar de toda a sua grandeza, ela é inerte, necessita ser iluminada pela Consciência.

---

[5] *manasā eva anudraṣṭavyam (Bṛhadāraṇyaka Upaniṣad 4.4.19)*
O Ātman deve ser visto pela mente.

O conhecimento liberta.

4.25

विशेषदर्शिन आत्मभावभावनानिवृत्तिः ॥

viśeṣadarśina ātmabhāvabhāvanānivṛttiḥ ||

Para quem vê a diferença [entre a mente e o Eu], há o desaparecimento do questionamento da natureza do sujeito.

viśeṣa-darśinaḥ = para quem vê a diferença [entre a mente e o Eu] • ***ātma-bhāva-bhāvanā-nivṛttiḥ*** = o desaparecimento do questionamento da natureza do sujeito

Śrī Patañjali afirma junto com *Vedānta* neste *sūtra* que o conhecimento liberta a pessoa. Ao conhecer o Eu imutável, a Consciência que ilumina a mente que está em constante transformação, a identificação do Eu com a mente desaparece, e o Eu, que já é completo por natureza, se torna evidente. "Eu sou completo" é o conhecimento que liberta. Como diz o mestre no *sūtra* 1.3, então o *yogin* permanece na sua natureza.

Que tipo de mente terá a pessoa que conhece o Eu?

4.26

तदा विवेकनिम्नं कैवल्यप्राग्भारं चित्तम् ॥

tadā vivekanimnaṁ kaivalyaprāgbhāraṁ cittam ||

Então, a mente está entregue à discriminação, de frente para a liberação.

tadā = então • ***viveka-nimnam*** = está entregue à discriminação • ***kaivalya-prāgbhāram*** = de frente para a liberação • ***cittam*** = a mente

Antes a mente era qualificada como *ajñāna-nimnam*, entregue à ignorância, e *viṣaya-prāgbhāram*, de frente para os objetos; agora é *viveka-nimnam*, entregue à discriminação, e *kaivalya-prāgbhāram*, de frente para a liberação.

A mente é a causa do sofrimento devido à ignorância e à ilusão com relação a quem sou eu; e é também a causa da libertação, pois é na mente que ocorre o conhecimento claro de quem sou.[6]

A mente discriminativa está preparada para desejar e adquirir este conhecimento.

O conhecimento pode ter obstáculos.

4.27

तच्छिद्रेषु प्रत्ययान्तराणि संस्कारेभ्यः ॥

tacchidreṣu pratyayāntarāṇi saṁskārebhyaḥ ||

Quando há buracos naquele (no conhecimento que leva à liberação), os pensamentos diferentes (contrários ao conhecimento) se devem às tendências.

tat-chidreṣu = quando há buracos naquele • ***pratyaya-antarāṇi*** = os pensamentos diferentes • ***saṁskārebhyaḥ*** = devido às tendências

[6] *Manah eva kāraṇam bandhamokṣayoḥ.*
A mente realmente é a causa do aprisionamento e da libertação.

O processo de aquisição do autoconhecimento é descrito no verso 2.4.5 da *Bṛhadāraṇyaka Upaniṣad*:

> आत्मा वा अरे द्रष्टव्यः श्रोतव्यः मन्तव्यः निदिध्यासितव्यः।
>
> *ātmā vā are draṣṭavyaḥ śrotavyaḥ mantavyaḥ nididhyāsitavyaḥ.*
>
> *O Ātman deve ser conhecido com clareza e, para isso, deve ser escutado, refletido e contemplado.*

O conhecimento claro do Eu livre de limitação é a liberação, *kaivalya*. Em alguns momentos, apesar do conhecimento, o *yogin* parece se esquecer momentaneamente de sua natureza absoluta e plena e, então, reage mentalmente como se fosse ignorante, não o sábio que é. Esses momentos são aqui chamados de buracos. *Śrī Patañjali* diz que esses momentos são causados por tendências do passado, que se manifestaram na mente. Em pouco tempo o buraco desaparece e o conhecimento claro volta a reinar na mente.

Saṁskāras são as tendências do passado que tiveram origem na visão errônea do Eu, como: eu sou o corpo, sou gordo ou magro, eu sou a mente, sou agitado ou calmo etc. Esses pensamentos podem continuar automaticamente, pois fazem parte de um longo passado de identificação errônea do eu. Mesmo quando o erro desaparece na presença do conhecimento, algumas tendências permanecem por algum tempo. São chamadas de *viparīta-bhāvana*, noções contrárias ao conhecimento. Elas serão eliminadas pela contemplação do Eu real. Essa também não deve ser uma preocupação para a pessoa que adquiriu o conhecimento, isto porque ela vê a si mesma como *Brahman* e sabe então que os pensamentos, sejam quais forem, não limitam o Eu real, são aparentes, têm natureza dependente do Eu e não são o verdadeiro Eu.

Os buracos, *chidra*, aqui mencionados, são os intervalos entre os pensamentos de conhecimento, onde ocorrem os diferentes conceitos em relação ao Eu. É como se a mente tivesse pensamentos que coincidissem com a visão da realidade e, em alguns momentos, tivesse pensamentos contrários ao conhecimento, devido à força do hábito desses pensamentos que reinaram durante muito tempo.

São principalmente três as *vāsanās* ou tendências que podem inibir o conhecimento do Eu real: *loka-vāsanā*; *śāstra-vāsanā*; *deha-vāsanā*.

Loka-vāsanā é a tendência por buscar nome e fama. Mesmo com o conhecimento do real, a pessoa pode buscar fama e reconhecimento. Temos que entender que não haverá fama sem seu oposto, a censura ou crítica, neste mundo dual. Até mesmo *Sītā* e *Rāma*, totalmente comprometidos com o *dharma*, foram criticados. Por isso, *Śrī Kṛṣṇa* diz, no verso 7 do capítulo 6 da *Bhagavadgītā*, que uma característica do sábio é se manter neutro frente ao elogio e à crítica.

Śāstra-vāsanā é a busca por conhecimentos, aprendizados novos, por ter muitos discípulos e saber fazer muitos rituais. Conhecimento é importante, mas querer saber mais e mais, e se distinguir por isso, alimenta o orgulho e a vaidade.

Deha-vāsanā é a busca por adquirir boas qualidades do corpo, corpo ideal, voz doce, pele macia etc. A obsessão por eliminar imperfeições do corpo e purificá-lo constantemente. O corpo será sempre finito e é a identificação com ele que mantém essa *vāsanā*.

O que fazer quando as tendências do passado aparecem?

4.28

हानमेषां क्लेशवदुक्तम् ॥

hānameṣāṁ kleśavaduktam ||

Como foi falado sobre os sofrimentos, [é necessário] o abandono dessas [tendências].

hānam = o abandono • ***eṣāṁ*** = dessas • ***kleśavat*** = como os sofrimentos • ***uktam*** = foi falado sobre

No *sūtra* 2.11, *Śrī Patañjali* usa uma palavra semelhante: *heya*, devem ser abandonados. Os pensamentos causadores de sofrimento, *kleśa*, devem ser abandonados. Com a palavra *hānam*, *Patañjali* diz o que deve ser feito com relação às tendências do passado, quando essas aparecem – deve-se abandonar a tendência. Tanto quanto os sofrimentos devem ser abandonados.

4.29

प्रसंख्यानेऽप्यकुसीदस्य सर्वथा विवेकख्यातेर्धर्ममेघः समाधिः ॥

prasaṅkhyāne'pyakusīdasya sarvathā vivekakhyāterdharmameghaḥ samādhiḥ ||

Para aquele que possui conhecimento discriminativo claro [e] que é totalmente indiferente até mesmo ao pagamento de algo que lhe é devido, há dharmameghaḥ samādhiḥ.

prasaṅkhyāne = ao pagamento de algo que lhe é devido •

api = até mesmo • ***akusīdasya*** = para aquele que é indiferente • ***sarvathā*** = totalmente • ***vivekakhyāteḥ*** = para aquele que possui conhecimento discriminativo claro • ***dharmameghaḥ samādhiḥ*** = um tipo de *samādhi*

Prasaṁkhyāna é um termo que significa o pagamento de um débito, o pagamento de algo que é devido. *Śrī Patañjali* usa o termo "ser indiferente até mesmo a algo que lhe é devido" para mostrar uma atitude de total desapego. Em relação às tendências que vêm à tona em sua mente, mencionadas no *sūtra* 4.27, o *yogin* deixa tudo de lado, conforme o *sūtra* 4.28, sem se identificar. Por exemplo, quando surge raiva ou irritação em sua mente, ele não se identifica com ela, pois sabe que isso faz parte de tendências do passado e lida com o assunto da melhor forma possível.

Viveka-khyāti é o conhecimento discriminativo que distingue o Eu imutável de *buddhi*, a mente que possui três *guṇas* ou qualidades, que são *sattva*, *rajas* e *tamas*.

Este estado mental, livre das sementes dos *saṁskāras*, é chamado *dharma-megha-samādhi*. Como *megha* é nuvem e *dharma* significa mérito, *puṇyam*, podemos chamar este *samādhi* de "nuvem ou chuva de mérito", que abençoa o *yogin* com clareza de autoconhecimento, fruto de sua vida meditativa e do autoconhecimento.

Quando uma pessoa possui conhecimento claro, ela sabe que nada mais há para alcançar, o objetivo último da vida foi alcançado.

Ser indiferente à meditação é mencionado como uma característica do mais alto conhecimento. Muitas vezes quando o *yogin* começa a meditar, ele se desliga do muito externo, mas se apega à meditação como instrumento de paz e satisfação.

A *Māṇḍūkya Upaniṣad Kārikā* fala sobre os obstáculos à meditação, que são quatro. O último deles, e o mais difícil de ser superado, é exatamente o deleite na meditação, na paz que ela parece produzir. O fim da meditação é a compreensão de que eu sou a paz, que é evidenciada no momento da meditação, e não produzida por ela.

Este termo *dharma-megha-samādhi* é também mencionado por *Śrī Vidyāraṇya Swami* nos versos 1.55-61 de seu *Pañcadaśī*, onde diz que, através de *śravaṇa* e *manana*, a mente entende a natureza da realidade única, e com *nididhyāsana* há o permanecer firme da mente na visão do Um. A mente então abandona os conceitos de meditador e meditação e permanece no objeto de meditação, que é o sujeito, e assim permanece sem distração - isso é o *samādhi*.

Nesse estado, a mente perde a visão do meditador; somente ao sair desse estado de *samādhi* que este pode ser inferido. Devido ao esforço do *yogin* e aos novos *samskāras* produzidos pela repetição dos esforços, a mente permanece no *nirvikalpa samādhi*. O *karma* passado é anulado e o *dharma* ou *puṇya*, o mérito acumulado, cresce para o *yogin*. Este é o chamado *dharma-megha-samādhi*, pois ele faz chover muito *dharma*, que é *punya*, mérito; *megha* quer dizer uma nuvem pesada de chuva. Então, através deste *samādhi*, a rede de *vāsanās* é destruída, assim como *puṇya* e *pāpa*, mérito e demérito, em seu nome. E o claro entendimento da frase de ensinamento *tat tvam asi*, tu és aquele, se estabelece. Esta pessoa alcança a mais alta felicidade.

4.30

ततः क्लेशकर्मनिवृत्तिः ॥

tataḥ kleśakarmanivṛttiḥ ||

Então há a cessação dos sofrimentos e do karma.

tataḥ = então • ***kleśa-karma-nivṛttiḥ*** = a cessação dos sofrimentos e do *karma*

Então, a partir do *dharmamegha-samādhi*, o *yogin* está livre dos *kleśas* – *avidyā, rāga, dveśa, abhiniveśa, asmitā* (*sūtra* 3.3) – e do *karma* – a semente para futuros nascimentos.

A semente do sofrimento e de nascimentos futuros é *avidyā*, a ignorância do Eu real. Quando esta, que é a causa, desaparece na presença do conhecimento, seus efeitos, os sofrimentos e nascimentos futuros, também desaparecem.

4.31

तदा सर्वावरणमलापेतस्य
ज्ञानस्याऽनन्त्याज्ज्ञेयमल्पम् ॥

tadā sarvāvaraṇamalāpetasya jñānasyā'nantyājjñeyam-alpam ||

Então, para aquele para quem foi eliminada a impureza [que é a ignorância], o véu que tudo encobre, o que [ainda] deve ser conhecido é insignificante, pois o conhecimento [do real] é livre de limitação.

tadā = então • ***sarva-āvaraṇa-mala-āpetasya*** = para aquele para quem foi eliminada a impureza, o véu que tudo encobre • ***jñānasya*** = o conhecimento • ***ānantyāt*** = pois é livre de

limitação • ***jñeyam*** = o que deve ser conhecido •
alpam = insignificante

A ignorância tem o poder de encobrir o objeto para, a seguir, projetar algo diferente. O poder de encobrir é chamado de *āvaraṇa-śakti*. Devido a ele, o Eu, apesar de experienciado, não é conhecido. Nasce, então, a visão equivocada de si mesmo, a sensação de ser limitado e carente, que produz sofrimento e o desejo de ser alguém diferente. Quando o conhecimento do Eu é alcançado, ele dissolve a sensação de limitação, e todos os outros conhecimentos, de infindáveis objetos, são reconhecidos como insignificantes à luz do conhecimento do Eu. A pessoa considera que nada mais é necessário em sua vida, mas, se vier, torna-se um extra.

O verso 1.1.3 da *Muṇḍaka Upaniṣad* fala sobre a importância do autoconhecimento:

शौनको ह वै महाशालोऽङ्गिरसं विधिवदुपसन्नः पप्रच्छ ।
कस्मिन्नु भगवो विज्ञाते सर्वमिदं विज्ञातं भवतीति ॥

śaunako ha vai mahāśālo'ṅgirasaṁ
vidhivadupasannaḥ papraccha |
kasminnu bhagavo vijñāte sarvamidaṁ vijñātaṁ bhavatīti ||

Śaunaka, bem conhecido como chefe de família (que faz os rituais necessários), tendo se aproximado de Angiras conforme as estipulações, pergunta: "Senhor, conhecendo o que tudo isto se torna conhecido?"

4.32

ततः कृतार्थानां परिणामक्रमसमाप्तिर्गुणानाम् ॥

tataḥ kṛtārthānāṁ pariṇāmakramasamāptirguṇānām ||

Disto advém o fim da ordem de transformação dos guṇas, que preencheram seu propósito.

tataḥ = disto • ***kṛta-arthānām*** = que preencheram seu propósito • ***pariṇāma-krama-samāptiḥ*** = o fim da ordem de transformação • ***guṇānām*** = dos *guṇas*

Os *guṇas*, as características da natureza, estão em constante transformação no universo.

O propósito maior é a maturidade da mente, *citta--vṛtti-nirodha*, o comando sobre a mente, sobre os pensamentos que aparecem na mente. Quando a maturidade é alcançada, o buscador dirige sua busca para o autoconhecimento e por fim elimina a ignorância de si mesmo, descobrindo ser o Eu completo que buscava. As transformações dos *guṇas* preencheram seu propósito.

4.33

क्षणप्रतियोगी परिणामापरान्तनिर्ग्राह्यः क्रमः ॥

kṣaṇapratiyogī pariṇāmāparāntanirgrāhyaḥ kramaḥ ||

A sequência que depende de momentos deve ser entendida [como tendo chegado ao fim] com o fim das transformações.

kṣaṇa-pratiyogī = depende de momentos • ***pariṇāma-aparānta-nirgrāhyaḥ*** = deve ser entendida com o fim das transformações • ***kramaḥ*** = a sequência

Uma sequência no tempo depende de momentos, a busca do *yogin* tem uma sequência, que foi aqui descrita pelo mestre *Patañjali*. Quando o objetivo final, *kaivalya*, foi alcançado, não há mais transformação necessária para o *yogin* na forma de preparação da mente através de vida de *Yoga*.

4.34

पुरुषार्थशून्यानां गुणानां प्रतिप्रसवः कैवल्यं
स्वरूपप्रतिष्ठा वा चित्तिशक्तिरिति ॥

puruṣārthaśūnyānāṁ guṇānāṁ pratiprasavaḥ kaivalyaṁ
svarūpapratiṣṭhā vā cittiśaktiriti ||

Quando não há mais propósito para a vida humana, os guṇas retornam à origem. [Isto é] a liberação. Ou [como também é conhecida]: o poder da consciência estabelecido em sua própria natureza.

puruṣārtha-śūnyānāṁ = quando não há mais propósito para a vida humana • ***guṇānām*** = os *guṇas*, qualidades da natureza • ***pratiprasavaḥ*** = retornam à origem • ***kaivalyaṁ*** = a liberação • ***svarūpa-pratiṣṭhā*** = estabelecido em sua própria natureza • ***vā*** = ou • ***citti-śaktiḥ*** = poder da consciência • ***iti*** = indica o fim de uma frase, ou citação

Os *sūtras* 4.32-34 não seriam ditos em *Advaita Vedānta*. É possível que a visão de *Śrī Patañjali* seja a de que, na liberação, os *guṇas* voltem de fato para sua origem e que somente *Puruṣa* permaneça. Em *Advaita Vedānta*, todo o processo de liberação exige uma mudança cognitiva; o que é real é apreciado e o que é mutável é reconhecido como não real.

O propósito da vida é a experiência e o desafio da conquista da maturidade e a busca da realidade. A mutabilidade do universo obedece a uma ordem, tem portanto uma sequência, mas isso não torna o universo real, ele é aparentemente real. O real é sempre o mesmo, não muda, é eterno e completo em si mesmo.

Existem várias visões acerca do que dizem os *Vedas*. Todas mantêm um ponto de vista. A visão de *Advaita*, de que existe uma única realidade, que é a verdade de *jīva*, o indivíduo, *Īśvara*, a causa do universo, e *jagat*, o universo, é muito difícil de ser entendida. De fato, é necessário possuir uma mente muito sutil e livre de preconceitos, como diz o verso 1.3.12 da *Kaṭha Upaniṣad*.

Porém, considerando o *Veda* como um *pramāṇam*, um meio de conhecimento, ele tem que revelar um conhecimento único, não revelado por outros meios, e a única visão que é original sobre a realidade é a de que existe somente uma realidade absolutamente real. Tudo o mais é visto, mas, após questionamento, descobre-se que não é o que parece ser.

A realidade é: *Ekam eva advitīyam*. Somente uma, sem qualquer outra. (*Chāndogya Upaniṣad* 6.2.1).

E assim termina o comentário ao *Yoga Sūtra* de *Patañjali*, *Pātañjala-yoga-sūtraṇi*, à luz do *Vedānta*.

Om tat sat

Brahmārpaṇam astu

प्रथमोऽध्यायः

साध्यपादः

1

1.1 अथ योगानुशासनम् ॥
1.2 योगश्चित्तवृत्तिनिरोधः ॥
1.3 तदा द्रष्टुः स्वरूपेऽवस्थानम् ॥
1.4 वृत्तिसारूप्यमितरत्र ॥
1.5 वृत्तयः पञ्चतय्यः क्लिष्टाक्लिष्टाः ॥
1.6 प्रमाणविपर्ययविकल्पनिद्रास्मृतयः ॥
1.7 प्रत्यक्षानुमानागमाः प्रमाणानि ॥
1.8 विपर्ययो मिथ्याज्ञानमतद्रूपप्रतिष्ठम् ॥
1.9 शब्दज्ञानानुपाती वस्तुशून्यो विकल्पः ॥
1.10 अभावप्रत्ययालम्बना वृत्तिर्निद्रा ॥
1.11 अनुभूतविषयासम्प्रमोषः स्मृतिः ॥
1.12 अभ्यासवैराग्याभ्यां तन्निरोधः ॥
1.13 तत्र स्थितौ यत्नोऽभ्यासः ॥
1.14 स तु दीर्घकालनैरन्तर्यसत्कारासेवितो दृढभूमिः ॥
1.15 दृष्टानुश्रविकविषयवितृष्णस्य वशीकारसंज्ञा वैराग्यम् ॥
1.16 तत्परं पुरुषख्यातेर्गुणवैतृष्ण्यम् ॥
1.17 वितर्कविचारानन्दास्मितारूपानुगमात् सम्प्रज्ञातः ॥
1.18 विरामप्रत्ययाभ्यासपूर्वः संस्कारशेषोऽन्यः ॥
1.19 भवप्रत्ययो विदेहप्रकृतिलयानाम् ॥
1.20 श्रद्धावीर्यस्मृतिसमाधिप्रज्ञापूर्वक इतरेषाम् ॥
1.21 तीव्रसंवेगानामासन्नः ॥

1.22 मृदुमध्याधिमात्रत्वात्ततोऽपि विशेषः ॥

1.23 ईश्वरप्रणिधानाद्वा ॥

1.24 क्लेशकर्मविपाकाशयैरपरामृष्टः पुरुषविशेष ईश्वरः ॥

1.25 तत्र निरतिशयं सर्वज्ञबीजम् ॥

1.26 स पूर्वेषामपि गुरुः कालेनानवच्छेदात् ॥

1.27 तस्य वाचकः प्रणवः ॥

1.28 तज्जपस्तदर्थभावनम् ॥

1.29 ततः प्रत्यक्चेतनाधिगमोऽप्यन्तरायाभावश्च ॥

1.30 व्याधिस्त्यानसंशयप्रमादालस्याविरतिभ्रान्ति
दर्शनालब्धभूमिकत्वानवस्थितत्वानि
चित्तविक्षेपास्तेऽन्तरायाः ॥

1.31 दुःखदौर्मनस्याङ्गमेजयत्वश्वसप्रश्वासा
विक्षेपसहभुवः ॥

1.32 तत्प्रतिषेधार्थमेकतत्त्वाभ्यासः॥

1.33 मैत्रीकरुणामुदितोपेक्षाणां
सुखदुःखपुण्यापुण्यविषयाणां
भावनातश्चित्तप्रसादनम् ॥

1.34 प्रच्छर्दनविधारणाभ्यां वा प्राणस्य ॥

1.35 विषयवती वा प्रवृत्तिरुत्पन्ना मनसः
स्थितिनिबन्धनी ॥

1.36 विशोका वा ज्योतिष्मती ॥

1.37 वीतरागविषयं वा चित्तम् ॥

1.38 स्वप्ननिद्राज्ञानालम्बनं वा ॥

1.39 यथाभिमतध्यानाद्वा ॥

1.40 परमाणुपरममहत्त्वान्तोऽस्य वशीकारः ॥

1.41 क्षीणवृत्तेरभिजातस्येव मणेर्ग्रहीतृग्रहणग्राह्येषु
तत्स्थतदञ्जनता समापत्तिः ॥

1.42 तत्र शब्दार्थज्ञानविकल्पैः सङ्कीर्णा सवितर्का समापत्तिः ॥

1.43 स्मृतिपरिशुद्धौ स्वरूपशून्येवार्थमात्रनिर्भासा निर्वितर्का ॥

1.44 एतयैव सविचारा निर्विचारा च सूक्ष्मविषया व्याख्याता ॥

1.45 सूक्ष्मविषयत्वं चालिङ्गपर्यवसानम् ॥

1.46 ता एव सबीजः समाधिः ॥

1.47 निर्विचारवैशारद्येऽध्यात्मप्रसादः ॥

1.48 ऋतम्भरा तत्र प्रज्ञा ॥

1.49 श्रुतानुमानप्रज्ञाभ्यामन्यविषया विशेषार्थत्वात् ॥

1.50 तज्जः संस्कारोऽन्यसंस्कारप्रतिबन्धी ॥

1.51 तस्यापि निरोधे सर्वनिरोधान्निर्बीजः समाधिः ॥

द्वितीयोऽध्यायः
साधनपादः

2

2.1 तपः स्वाध्यायेश्वरप्रणिधानानि क्रियायोगः ॥

2.2 समाधिभावनार्थः क्लेशतनूकरणार्थश्च ॥

2.3 अविद्यास्मितारागद्वेषाभिनिवेशाः क्लेशाः ॥

2.4 अविद्या क्षेत्रमुत्तरेषां प्रसुप्ततनुविच्छिन्नोदाराणाम् ॥

2.5 अनित्याशुचिदुःखानात्मसु नित्यशुचिसुखात्मख्यातिरविद्या ॥

2.6 दृग्दर्शनशक्त्योरेकात्मतेवास्मिता ॥

2.7 सुखानुशयी रागः ॥

2.8 दुःखानुशयी द्वेषः ॥

2.9 स्वरसवाही विदुषोऽपि तथारूढोऽभिनिवेशः ॥

2.10 ते प्रतिप्रसवहेयाः सूक्ष्माः ॥

2.11 ध्यानहेयास्तद्वृत्तयः ॥

2.12 क्लेशमूलः कर्माशयो दृष्टादृष्टजन्मवेदनीयः ॥

2.13 सति मूले तद्विपाको जात्यायुर्भोगाः ॥

2.14 ते ह्लादपरितापफलाः पुण्यापुण्यहेतुत्वात् ॥

2.15 परिणामतापसंस्कारदुःखैर्गुणवृत्तिविरोधाच्च दुःखमेव सर्वं विवेकिनः ॥

2.16 हेयं दुःखमनागतम् ॥

2.17 द्रष्टृदृश्ययोः संयोगो हेयहेतुः ॥

2.18 प्रकाशक्रियास्थितिशीलं भूतेन्द्रियात्मकं भोगापवर्गार्थं दृश्यम् ॥

2.19 विशेषाविशेषलिङ्गमात्रालिङ्गानि गुणपर्वाणि ॥

2.20 द्रष्टा दृशिमात्रः शुद्धोऽपि प्रत्ययानुपश्यः ॥

2.21 तदर्थ एव दृश्यस्यात्मा ॥

2.22 कृतार्थं प्रति नष्टमप्यनष्टं तदन्यसाधारणत्वात् ॥

2.23 स्वस्वामिशक्त्योः स्वरूपोपलब्धिहेतुः संयोगः ॥

2.24 तस्य हेतुरविद्या ॥

2.25 तदभावात्संयोगाभावो हानं तद्दृशेः कैवल्यम् ॥

2.26 विवेकख्यातिरविप्लवा हानोपायः ॥

2.27 तस्य सप्तधा प्रान्तभूमिः प्रज्ञा ॥

2.28 योगाङ्गानुष्ठानादशुद्धिक्षये ज्ञानदीप्तिराविवेकख्यातेः ॥

2.29 यमनियमासनप्राणायामप्रत्याहारधारणाध्यान-समाधयोऽष्टाङ्गानि ॥

2.30 अहिंसासत्यास्तेयब्रह्मचर्यापरिग्रहा यमाः ॥

2.31 जातिदेशकालसमयानवच्छिन्नाः सार्वभौमा महाव्रतम् ॥

2.32 शौचसन्तोषतपःस्वाध्यायेश्वरप्रणिधानानि नियमाः ॥

2.33 वितर्कबाधने प्रतिपक्षभावनम् ॥

2.34 वितर्का हिंसादयः कृतकारितानुमोदिता लोभक्रोधमोहपूर्वका मृदुमध्याधिमात्रा दुःखाज्ञानानन्तफला इति प्रतिपक्षभावनम् ॥

2.35 अहिंसाप्रतिष्ठायां तत्सन्निधौ वैरत्यागः ॥

2.36 सत्यप्रतिष्ठायां क्रियाफलाश्रयत्वम् ॥

2.37 अस्तेयप्रतिष्ठायां सर्वरत्नोपस्थानम् ॥

2.38 ब्रह्मचर्यप्रतिष्ठायां वीर्यलाभः ॥

2.39 अपरिग्रहस्थैर्ये जन्मकथन्तासम्बोधः ॥

2.40 शौचात्स्वाङ्गजुगुप्सा परैरसंसर्गः ॥

2.41 सत्त्वशुद्धिसौमनस्यैकाग्र्येन्द्रिय जयात्मदर्शनयोग्यत्वानि च ॥

2.42 सन्तोषादनुत्तमः सुखलाभः ॥

2.43 कायेन्द्रियसिद्धिरशुद्धिक्षयात्तपसः ॥

2.44 स्वाध्यायादिष्टदेवतासम्प्रयोगः ॥

2.45 समाधिसिद्धिरीश्वरप्रणिधानात् ॥

2.46 स्थिरसुखमासनम् ॥

2.47 प्रयत्नशैथिल्यानन्तसमापत्तिभ्याम् ॥

2.48 ततो द्वन्द्वानभिघातः ॥

2.49 तस्मिन् सति श्वासप्रश्वासयोर्गतिविच्छेदः प्राणायामः ॥

2.50 बाह्याभ्यन्तरस्तम्भवृत्तिर्देशकालसंख्याभिः परिदृष्टो दीर्घसूक्ष्मः ॥

2.51 बाह्याभ्यन्तरविषयाक्षेपी चतुर्थः ॥

2.52 ततः क्षीयते प्रकाशावरणम् ॥

2.53 धारणासु च योग्यता मनसः ॥

2.54 स्वविषयासम्प्रयोगे चित्तस्य स्वरूपानुकार इवेन्द्रियाणां प्रत्याहारः ॥

2.55 ततः परमा वश्यतेन्द्रियाणाम् ॥

तृतीयोऽध्यायः
विभूति पादः

3

3.1 देशबन्धश्चित्तस्य धारणा ॥

3.2 तत्र प्रत्ययैकतानता ध्यानम् ॥

3.3 तदेवार्थमात्रनिर्भासं स्वरूपशून्यमिव समाधिः ॥

3.4 त्रयमेकत्र संयमः ॥

3.5 तज्जयात् प्रज्ञालोकः ॥

3.6 तस्य भूमिषु विनियोगः ॥

3.7 त्रयमन्तरङ्गं पूर्वेभ्यः ॥

3.8 तदपि बहिरङ्गं निर्बीजस्य ॥

3.9 व्युत्थाननिरोधसंस्कारयोरभिभवप्रादुर्भावौ निरोधक्षणचित्तान्वयो निरोधपरिणामः ॥

3.10 तस्य प्रशान्तवाहिता संस्कारात् ॥

3.11 सर्वार्थतैकाग्रतयोः क्षयोदयौ चित्तस्य समाधिपरिणामः ॥

3.12 ततः पुनः शान्तोदितौ तुल्यप्रत्ययौ चित्तस्यैकाग्रतापरिणामः ॥

3.13 एतेन भूतेन्द्रियेषु धर्मलक्षणावस्थापरिणामा व्याख्याताः ॥

3.14 शान्तोदिताव्यपदेश्यधर्मानुपाती धर्मी ॥

3.15 क्रमान्यत्वं परिणामान्यत्वे हेतुः ॥

3.16 परिणामत्रयसंयमादतीतानागतज्ञानम् ॥

3.17 शब्दार्थप्रत्ययानामितरेतराध्यासात् सङ्करस्तत्प्रविभागसंयमात् सर्वभूतरुतज्ञानम् ॥

3.18 संस्कारसाक्षात्करणात् पूर्वजातिज्ञानम् ॥

3.19 प्रत्ययस्य परचित्तज्ञानम् ॥

3.20 न च तत्सालम्बनं तस्याविषयीभूतत्वात् ॥

3.21 कायरूपसंयमात्तद्ग्राह्यशक्तिस्तम्भे चक्षुःप्रकाशासंयोगेऽन्तर्धानम् ॥

3.22 एतेन शब्दाद्यन्तर्धानमुक्तम् ॥

3.23 सोपक्रमं निरुपक्रमं च कर्म तत्संयमादपरान्तज्ञानमरिष्टेभ्यो वा ॥

3.24 मैत्र्यादिषु बलानि ॥

3.25 बलेषु हस्तिबलादीनि ॥

3.26 प्रवृत्त्यालोकन्यासात् सूक्ष्मव्यवहितविप्रकृष्टज्ञानम् ॥

3.27 भुवनज्ञानं सूर्ये संयमात् ॥

3.28 चन्द्रे ताराव्यूहज्ञानम् ॥

3.29 ध्रुवे तद्गतिज्ञानम् ॥

3.30 नाभिचक्रे कायव्यूहज्ञानम् ॥

3.31 कण्ठकूपे क्षुत्पिपासानिवृत्तिः ॥

3.32 कूर्मनाड्यां स्थैर्यम् ॥

3.33 मूर्धज्योतिषि सिद्धदर्शनम् ॥

3.34 प्रातिभाद्वा सर्वम् ॥

3.35 हृदये चित्तसंवित् ॥

3.36 सत्त्वपुरुषयोरत्यन्तासङ्कीर्णयोः प्रत्ययाविशेषो भोगः परार्थत्वात् स्वार्थसंयमात् पुरुषज्ञानम् ॥

3.37 ततः प्रातिभश्रावणवेदनादर्शास्वादवार्ता जायन्ते ॥

3.38 ते समाधावुपसर्गा व्युत्थाने सिद्धयः ॥

3.39 बन्धकारणशैथिल्यात् प्रचारसंवेदनाच्च चित्तस्य परशरीरावेशः ॥

3.40 उदानजयाज्ज्लपङ्ककण्टकादिष्वसङ्ग उत्क्रान्तिश्च ॥

3.41 समानजयाज्ज्वलनम् ॥

3.42 श्रोत्राकाशयोः सम्बन्धसंयमाद्दिव्यं श्रोतम् ॥

3.43 कायाकाशयोः सम्बन्धसयमाल्लघुतूलसमापत्तेश्चाकाशगमनम् ॥

3.44 बहिरकल्पिता वृत्तिर्महाविदेहा ततः प्रकाशावरणक्षयः ॥

3.45 स्थूलस्वरूपसूक्ष्मान्वयार्थवत्त्वसंयमाद्भूतजयः ॥

3.46 ततोऽणिमादिप्रादुर्भावः कायसम्पत्तद्धर्मानभिघातश्च ॥

3.47 रूपलावण्यबलवज्रसंहननत्वानि कायसम्पत् ॥

3.48 ग्रहणस्वरूपास्मितान्वयार्थवत्त्वसंयमादिन्द्रियजयः ॥

3.49 ततो मनोजवित्वं विकरणभावः प्रधानजयश्च ॥

3.50 सत्त्वपुरुषान्यताख्यातिमात्रस्य सर्वभावाधिष्ठातृत्वं सर्वज्ञातृत्वञ्च ॥

3.51 तद्वैराग्यादपि दोषबीजक्षये कैवल्यम् ॥

3.52 स्थान्युपनिमन्त्रणे सङ्गस्मयाकरणं पुनरनिष्टप्रसङ्गात् ॥

3.53 क्षणतत्क्रमयोः संयमाद्विवेकजं ज्ञानम् ॥

3.54 जातिलक्षणदेशैरन्यताऽनवच्छेदात्तुल्ययोस्ततः प्रतिपत्तिः ॥

3.55 तारकं सर्वविषयं सर्वथाविषयमक्रमं चेति विवेकजं ज्ञानम् ॥

3.56 सत्त्वपुरुषयोः शुद्धिसाम्ये कैवल्यमिति ॥

चतुर्थोऽध्यायः
कैवल्य पादः

4

4.1 जन्मौषधिमन्त्रतपःसमाधिजाः सिद्धयः ॥

4.2 जात्यन्तरपरिणामः प्रकृत्यापूरात् ॥

4.3 निमित्तमप्रयोजकं प्रकृतीनां वरणभेदस्तु ततः क्षेत्रिकवत् ॥

4.4 निर्माणचित्तान्यस्मितामात्रात् ॥

4.5 प्रवृत्तिभेदे प्रयोजकं चित्तमेकमनेकेषाम् ॥

4.6 तत्र ध्यानजमनाशयम् ॥

4.7 कर्माशुक्लाकृष्णं योगिनस्त्रिविधमितरेषाम् ॥

4.8 ततस्तद्विपाकानुगुणानामेवाभिव्यक्तिर्वासनानाम् ॥

4.9 जातिदेशकालव्यवहितानामप्यानन्तर्यं स्मृतिसंस्कारयोरेकरूपत्वात् ॥

4.10 तासामनादित्वं चाशिषो नित्यत्वात् ॥

4.11 हेतुफलाश्रयालम्बनैः संगृहीतत्वादेषामभावे तदभावः ॥

4.12 अतीतानागतं स्वरूपतोऽस्त्यध्वभेदाद्धर्माणाम् ॥

4.13 ते व्यक्तसूक्ष्मा गुणात्मानः ॥

4.14 परिणामैकत्वाद्वस्तुतत्त्वम् ॥

4.15 वस्तुसाम्ये चित्तभेदात्तयोर्विभक्तः पन्थाः ॥

4.16 न चैकचित्ततन्त्रं चेद् वस्तु तदप्रमाणकं तदा किं स्यात् ॥

4.17 तदुपरागापेक्षित्वाच्चित्तस्य वस्तु ज्ञाताज्ञातम् ॥

4.18 सदा ज्ञाताश्चित्तवृत्तयस्तत्प्रभोः पुरुषस्यापरिणामित्वात् ॥

4.19 न तत्स्वाभासं दृश्यत्वात् ॥

4.20 एकसमये चोभयानवधारणम् ॥

4.21 चित्तान्तरदृश्ये बुद्धिबुद्धेरतिप्रसङ्गः स्मृतिसङ्करश्च ॥

4.22 चितेरप्रतिसङ्क्रमायास्तदाकारापत्तौ स्वबुद्धिसंवेदनम् ॥

4.23 द्रष्टृदृश्योपरक्तं चित्तं सर्वार्थम् ॥

4.24 तदसंख्येयवासनाभिश्चित्रमपि परार्थं संहत्यकारित्वात् ॥

4.25 विशेषदर्शिन आत्मभावभावनानिवृत्तिः ॥

4.26 तदा विवेकनिम्नं कैवल्यप्राग्भारं चित्तम् ॥

4.27 तच्छिद्रेषु प्रत्ययान्तराणि संस्कारेभ्यः ॥

4.28 हानमेषां क्लेशवदुक्तम् ॥

4.29 प्रसंख्यानेऽप्यकुसीदस्य सर्वथा विवेकख्यातेर्धर्ममेघः समाधिः ॥

4.30 ततः क्लेशकर्मनिवृत्तिः ॥

4.31 तदा सर्वावरणमलापेतस्य ज्ञानस्याऽनन्त्याज्ज्ञेयमल्पम् ॥

4.32 ततः कृतार्थानां परिणामक्रमसमाप्तिर्गुणानाम् ॥

4.33 क्षणप्रतियोगी परिणामापरान्तनिर्ग्राह्यः क्रमः ॥

4.34 पुरुषार्थशून्यानां गुणानां प्रतिप्रसवः कैवल्यं स्वरूपप्रतिष्ठा वा चित्तिशक्तेरिति ॥

PRIMEIRO CAPÍTULO
O OBJETIVO

1

1.1 Agora, então, o ensinamento de *Yoga*.

1.2 *Yoga* é o controle dos movimentos da mente.

1.3 Então há a permanência na natureza do sujeito.

1.4 Em outras ocasiões, há a identificação com os pensamentos.

1.5 Estas modificações da mente são de cinco tipos; são causadoras de sofrimento e não causadoras de sofrimento.

1.6 São: *pramāṇa* (meio de conhecimento válido), *viparyaya* (erro), *vikalpa* (fantasia), *nidrā* (sono) e *smṛti* (memória).

1.7 Os meios de conhecimento são: a percepção, a lógica e as escrituras.

1.8 O erro é o conhecimento falso, estabelecido em algo que é diferente.

1.9 A fantasia, vazia de substância, segue um conhecimento verbal.

1.10 O sono profundo é a modificação mental que tem como base a percepção de ausência [de objeto].

1.11 A memória é a ausência de perda do objeto experimentado.

1.12 O controle daqueles (movimentos da mente) se dá pela repetição e pelo desapego.

1.13 A repetição é o esforço para o estabelecimento naquele (objetivo específico).

1.14 E aquela (repetição), praticada com dedicação e cuidado, sem interrupção e por longo tempo, é a base firme.

1.15 O desapego é chamado de domínio de quem é livre de desejo por objeto visto ou escutado.

1.16 Superior àquela (renúncia) é a indiferença às características inerentes à natureza, devido ao conhecimento do Ser absoluto.

1.17 *Samprajñāta* [*samādhi*] ocorre depois dos [quatro tipos de *samādhi*]: *vitarka*, *vicāra*, *ānanda* e *asmitārūpa* [que ocorrem com a prática de repetição e desapego].

1.18 Há outro [tipo de *samādhi*], caracterizado pela presença do resíduo de tendências e precedido por repetições; [este *samādhi* é chamado de] *virāma pratyaya*.

1.19 *Bhavapratyaya* [é um tipo de *samādhi* alcançado] na comunhão com a natureza ou na experiência momentânea de estar livre do corpo.

1.20 Para outros, primeiro [é necessário alcançar] confiança, diligência, poder de memória, absorção, discriminação [para que o *asamprajñāta samādhi* seja alcançado].

1.21 [A aquisição do *samādhi* está] perto para aqueles que têm um forte desejo pela liberação.

1.22 Por ser de natureza suave, média e intensa, há também uma diferença [entre os *yogins*] como consequência disto.

1.23 Ou através da entrega a *Īśvara*.

1.24 *Īśvara* é um ser diferente [do indivíduo], totalmente livre de sofrimento, de ação, de resultado de ação e de um reservatório de impressões do passado.

1.25 Nele há a incomparável semente de todo conhecimento.

1.26 Ele é também o primeiro mestre devido à ausência da limitação de tempo.

1.27 Seu nome é *Om*.

1.28 A repetição daquele (*Om*) [deve ser feita] apreciando-se seu significado.

1.29 Disso [advém] a ausência de obstáculo e também a aquisição da mente meditativa.

1.30 Os obstáculos [que causam] a agitação da mente são: doença, apatia, dúvida, falta de atenção, preguiça, falta de renúncia, visão errada, falta de capacidade de manter o que alcançou, falta de continuidade.

1.31 Os fatores que colaboram para a agitação [da mente] são: tristeza, disposição negativa da mente, agitação do corpo e respiração irregular.

1.32 A repetição da verdade única serve para eliminar esses [obstáculos para a aquisição da mente tranquila].

1.33 A tranquilidade da mente vem da atitude de simpatia, compaixão, satisfação e paciência com relação a situações de alegria, sofrimento, mérito e demérito.

1.34 Ou através da expiração e retenção da respiração.

1.35 Ou a contemplação em um objeto produz a base para a firmeza da mente.

1.36 Ou [a firmeza da mente vem da contemplação na] luz que é livre de sofrimento.

1.37 Ou [a tranquilidade é descoberta numa] mente livre de objetos de desejo.

1.38 Ou [a tranquilidade da mente é descoberta pela contemplação na] base dos estados de sonho, sono profundo e acordado.

1.39 Ou [a tranquilidade da mente vem] da meditação naquilo que é amado.

1.40 O comando dela (da mente) [capacita a pessoa a ir] desde a menor partícula até o maior tamanho.

1.41 O pensar sendo eliminado, [a mente] assume a forma daquela (Consciência) na qual estão estabelecidos aquele que percebe, a percepção e o que é percebido; assim como um cristal transparente - [isso é] *samāpatti*, a absorção total.

1.42 Naquele (estado), quando há uma mistura entre as ideias do objeto, o nome e o conhecimento do objeto, há *savitarkā samāpatti*.

1.43 Quando a mente está purificada [livre do fluxo de pensamentos], como que livre de sua natureza [de refletir os objetos], iluminando [seu] próprio significado, há *nirvitarkā* [*samāpatti*].

1.44 Da mesma maneira, [*samāpatti*] é descrita com relação aos objetos sutis [e é de dois tipos] - *savicārā* e *nirvicārā*.

1.45 E o estado mais sutil [da mente] completa-se no sem forma.

1.46 Estes são realmente *sabīja samādhi*.

1.47 Na capacidade de estar em *nirvicāra* [*samāpatti*], a tranquilidade da mente [é alcançada].

1.48 Lá (no *adhyātma-prasāde*, na tranquilidade da mente), há o conhecimento que carrega a verdade.

1.49 [O conhecimento chamado *ṛtambharā prajñā*] tem um objeto diferente do escutado e inferido; pois [*ṛtambharā prajñā*] tem algo específico como objeto.

1.50 O *saṁskāra* que nasce daquela [*ṛtambharā prajñā*, o conhecimento que carrega a verdade do sujeito] se opõe aos outros *saṁskāras* (as tendências anteriores ao conhecimento claro do Eu).

1.51 Na eliminação desta (tendência) também, devido à eliminação de tudo, há o *nirbīja-samādhi* (absorção sem semente).

SEGUNDO CAPÍTULO
O MEIO

2

2.1 *Kriyā Yoga* [consiste em] austeridade, estudo das escrituras e entrega a *Īśvara*.

2.2 Tem como objetivo produzir a absorção e reduzir os sofrimentos.

2.3 Os [cinco] sofrimentos (*kleśas*) são: ignorância (*avidyā*), falso conceito do eu (*asmitā*), gosto (*rāga*), aversão (*dveṣa*) e medo da morte (*abhiniveśa*).

2.4 A ignorância é o campo fértil para os outros (quatro *kleśas*), que podem estar adormecidos, podem ser de forma sutil, de forma pouco expressa ou totalmente manifestos.

2.5 *Avidyā* é a visão do eu que é eterno, puro e felicidade [projetado] no não eu, que é não eterno, impuro e infelicidade.

2.6 *Asmitā*, a falsa noção do eu, é a falsa identidade entre a natureza do sujeito e a do instrumento de visão.

2.7 *Rāga*, gosto, é o que segue a experiência de prazer.

2.8 *Dveṣa*, aversão, é o que segue a experiência de insatisfação.

2.9 *Abhiniveśa*, apego à vida, é um impulso de instinto natural igualmente forte também para a pessoa de conhecimento.

2.10 Estes (*kleśas*) são sutis [e] devem ser abandonados através do processo de se opor ao nascimento deles.

2.11 As expressões deles (dos *kleśas*) devem ser abandonadas através da meditação.

2.12 O reservatório de *karma* tem raiz nos *kleśas* [e] deve ser vivenciado neste e nos nascimentos futuros.

2.13 Enquanto existir a raiz, haverá a manifestação daqueles (*karmas*), [determinando] o nascimento, a longevidade e as experiências.

2.14 Esses [tipos de nascimento, longevidade e experiências] são os resultados [caracterizados por] satisfação ou sofrimento, pois são causados por mérito e demérito.

2.15 Para a pessoa dotada de discriminação, tudo (o nascimento, a longevidade e as experiências) é definitivamente sofrimento, devido ao sofrimento que tem origem na tendência à ansiedade e na natureza de constante mudança [de tudo no universo]; e devido à oposição na expressão dos *guṇas* (as três características inatas ao universo).

2.16 O sofrimento que ainda não veio deve ser evitado.

2.17 A união daquele que vê (o sujeito) com o que é visto (o objeto) é a causa [do sofrimento e] deve ser eliminada.

2.18 O que é percebido (o objeto) tem as características de clareza, ação e imobilidade, é da natureza dos [cinco] elementos e dos órgãos [de percepção, incluindo a mente, e de ação], [e] tem como objetivo o prazer e a liberação.

2.19 As modificações dos *guṇas* (características básicas do universo) são: forma diferenciada, forma não diferenciada, forma sutil, forma não manifesta.

2.20 O sujeito é somente Consciência; apesar de puro, é testemunha de pensamentos.

2.21 A natureza daquele que é percebido (o objeto) é exclusivamente para aquele (o sujeito).

2.22 Com referência à pessoa que já alcançou o objetivo mais alto da vida, aquele (mundo de objetos) é morto, apesar de não [verdadeiramente] morto, pois continua sendo comum para todos os outros.

2.23 A união entre o sujeito e o objeto é a causa da determinação da natureza [de ilusão da união].

2.24 A causa desta (união) é a ignorância.

2.25 Devido à ausência daquela (a ignorância), há a ausência da união; esta eliminação é a libertação do sujeito.

2.26 O conhecimento discriminativo, sem obstáculos, é o meio para a eliminação [da ignorância e do erro].

2.27 O conhecimento daquele (que possui conhecimento discriminativo) tem sete tipos de elevação máxima.

2.28 Quando a impureza é eliminada pela prática dos componentes do *Yoga*, [ocorre] o brilho do conhecimento até o conhecimento discriminativo.

2.29 Os oito membros ou componentes são: *yama*, *niyama*, *āsana*, *prāṇāyāma*, *pratyāhāra*, *dhāraṇā*, *dhyāna*, *samādhi*.

2.30 Os *yamas* são: *ahiṁsā* (não causar dano), *satya* (a verdade), *asteya* (não roubar), *brahmacarya* (compromisso com a busca de *Brahman*), *aparigraha* (não acumular objetos).

2.31 [*Yama*] é um grande compromisso em relação a todo mundo, independente de classe, país, tempo ou circunstância.

2.32 Os *niyamas* são: *śauca* (pureza), *santoṣa* (contentamento), *tapaḥ* (ascese ou disciplina), *svādhyāya* (empenho no estudo), *īśvara-praṇidhāna* (entrega a *Īśvara*).

2.33 Quando há obstrução na forma de um pensamento contrário [a um valor intelectual, deve-se evocar] o pensamento oposto.

2.34 "Pensamentos contrários, do tipo que causam danos, que a pessoa pode executar, levar alguém a executar ou permitir que outros executem; precedidos por cobiça, raiva, confusão mental; podem ser pequenos, médios ou intensos; seus resultados são sofrimento e ignorância infindáveis", [esse] é o pensamento oposto.

2.35 Na presença de uma pessoa estabelecida na não violência, [sobrevém] o abandono da hostilidade.

2.36 No estabelecimento da verdade, [sobrevém] o estado de se tornar a base para o resultado da ação.

2.37 No estabelecimento do não roubar, [sobrevém] a proximidade com todos os tesouros.

2.38 No estabelecimento em *brahmacarya*, [sobrevém] a aquisição de poder e força.

2.39 Na firmeza de não acumular objetos, [sobrevém] o conhecimento do que causou o nascimento.

2.40 Devido à pureza [externa], há indiferença em relação a seu próprio corpo [e] ausência de apego aos outros.

2.41 E, da pureza da mente, [nasce] a satisfação da mente, a concentração, a conquista dos sentidos [e por fim] a preparação para o autoconhecimento.

2.42 Do contentamento, advém o ganho de incomparável felicidade.

2.43 Da disciplina que destrói a impureza, [advém] o comando sobre o corpo e os órgãos.

2.44 Do estudo, [advém] a união com a forma divina predileta.

2.45 Da entrega a *Īśvara*, [advém] a conquista de total absorção.

2.46 *Āsana* é a postura firme e confortável.

2.47 Através da meditação no Ilimitado e da diminuição das atividades [há a conquista da postura confortável e firme].

2.48 Disto, não [advém] a perturbação causada pela dualidade.

2.49 Quando esta (a conquista da postura) acontece, [deve haver a prática de] *prāṇāyāma*, que é a regulação do caminho de inspiração e expiração.

2.50 [O *prāṇāyāma*] tem os movimentos: externo, interno e de suspensão; é medido por lugar (quão longe vai o ar), tempo (sua duração) e número (a multiplicação de medidas de tempo); é longo e sutil.

2.51 O quarto [tipo de *prāṇāyāma*] é aquele que transcende os movimentos externo e interno.

2.52 Através disto (da prática de *prāṇāyāma*), aquilo que encobre a capacidade de percepção desaparece.

2.53 E [daí resulta] a capacitação da mente na concentração.

2.54 O recolhimento dos sentidos [acontece] quando não há contato com seus respectivos objetos; como se houvesse para os sentidos o seguir a natureza da mente.

2.55 Disso (da prática de *pratyāhāra*), advém um comando maior sobre os sentidos.

TERCEIRO CAPÍTULO
AS CONQUISTAS

3

3.1 Concentração é o ato de fixar a mente em um lugar.

3.2 Lá [na concentração], o fluxo contínuo de pensamento é a meditação.

3.3 Aquela mesma [meditação], iluminando somente o objeto de meditação, como que vazia do pensar, é *samādhi*, a absorção.

3.4 Os três juntos (*dhāraṇā, dhyāna, samādhi*) são [chamados de] *saṁyama*.

3.5 Devido à conquista desse (*saṁyama*), há a clareza de conhecimento.

3.6 A aplicação desse (*saṁyama*) [deve ser] em etapas.

3.7 O grupo de três (*dhāraṇā, dhyāna, samādhi*), com relação aos outros, é um membro interno.

3.8 Mesmo esses [três] são externos com relação ao *nirbīja* [*samādhi*].

3.9 *Nirodha pariṇāma*, a transformação de controle, é a permanência da mente no momento de controle, no desaparecimento das tendências de transformação e no aparecimento das tendências de controle.

3.10 Devido à [nova] tendência [de controle que foi adquirida], há um fluxo de tranquilidade daquela (mente).

3.11 O *samādhi-pariṇāma*, a transformação da absorção, é o término da distração da mente e o aparecimento da capacidade de foco da mente.

3.12 E disso, advém o *ekāgratā pariṇāma*, a transformação do foco da mente em que os pensamentos do passado e do presente são iguais.

3.13 Através desse [processo de transformação da mente], são mencionadas as transformações de características, de estado de ser e de condições em relação ao corpo, aos órgãos e à mente.

3.14 O *dharmin* [o que possui qualidade] existe conforme o *dharma*, a qualidade acalmada, manifesta ou latente.

3.15 A ordem na sequência [da prática] é a causa para a ordem na transformação [da mente].

3.16 Devido ao *saṁyama* nas três transformações [chamadas *dharma*, *lakṣaṇa* e *avasthā*], [o *yogin* alcança] o conhecimento do passado e do futuro.

3.17 A confusão em relação à palavra, seu objeto e a ideia [deste] se deve à superimposição de um no outro. Através da reflexão sobre a diferenciação destes, o conhecimento da fala de todos os seres [é adquirido].

3.18 Da percepção direta das tendências [com as quais a pessoa nasce], advém o conhecimento sobre sua vida passada.

3.19 [Da reflexão] sobre o pensamento advém o conhecimento do pensamento na mente dos outros.

3.20 Mas aquele não tem a mesma base, porque não pode ser objetificado.

3.21 Devido à reflexão sobre a forma do corpo, há [o poder da] invisibilidade, na suspensão do poder de manifestação dela (da forma do corpo) [e] na ausência de contato da luz da visão.

3.22 Através disso (da reflexão sobre a forma do corpo), fala-se sobre a não percepção do som etc.

3.23 A ação produz resultado imediato e resultado futuro; devido à reflexão sobre aquela (a ação), há conhecimento da morte ou de [seus] sinais.

3.24 [Devido à reflexão] sobre a amizade etc., há forças.

3.25 [Devido à reflexão] sobre as forças, vem a força etc. de um elefante.

3.26 Devido ao direcionamento da luz da percepção, há o conhecimento do que está distante, escondido e sutil.

3.27 Devido à reflexão sobre o Sol, há o conhecimento do universo.

3.28 [Devido à reflexão] sobre a Lua, há o conhecimento da disposição das estrelas.

3.29 [Devido à reflexão] sobre a estrela Polar, há o conhecimento do movimento delas (das estrelas).

3.30 [Devido à reflexão] sobre o centro do umbigo, há o conhecimento da formação do corpo.

3.31 [Devido à reflexão] sobre o poço da garganta, há a conquista da fome e da sede.

3.32 [Devido à reflexão] sobre a *kūrma-nāḍī*, há firmeza.

3.33 [Devido à reflexão] sobre a luz do topo da cabeça, há a visão dos seres perfeitos.

3.34 Ou do conhecimento, advém o [conhecimento de] tudo.

3.35 [Devido à reflexão] sobre o coração, há total conhecimento da mente.

3.36 Apesar de haver completa diferença entre o ser individual e *Puruṣa*, há a experiência de uma base não diferente, devido à busca mais alta. Devido ao *saṁyama* sobre a identidade de si mesmo, há o conhecimento de *Puruṣa*.

3.37 Da (reflexão, *saṁyama*), nascem as capacidades especiais de percepção intuitiva, de escuta, de toque, de visão, de sabor.

3.38 Esses são obstáculos para o *samādhi*; mas são poderes no mundo.

3.39 Devido ao afrouxamento da causa do aprisionamento e ao entendimento do movimento da mente, há [o poder de] ocupar o corpo de outra pessoa.

3.40 Devido à conquista do *udāna*, [é possível] não ter contato com a água, a lama, o espinho etc., e sair do corpo.

3.41 Devido à conquista do *samāna*, há brilho [em seu corpo].

3.42 Devido à reflexão sobre a relação entre o espaço e o som, há a capacidade divina de escutar.

3.43 Devido à reflexão sobre a relação entre o espaço e o corpo e à reflexão sobre o algodão, que é leve, há a capacidade de andar no espaço.

3.44 Um pensamento dirigido para fora e sem erro é [chamado de] *mahāvidehā*, a grande libertação do corpo. Desse [pensamento], advém a eliminação daquilo que encobre a luz [do conhecimento].

3.45 Devido à reflexão sobre o significado da conexão entre a natureza densa e a sutil [dos elementos], há a conquista dos elementos.

3.46 Então [há o poder de] tornar-se bem pequeno [e bem grande], há o aperfeiçoamento do corpo e a capacidade de não ser afetado pelas características deles (dos elementos que compõem o corpo).

3.47 O aperfeiçoamento do corpo é constituído de beleza de forma, graça, força e solidez como de um diamante.

3.48 Devido à reflexão sobre o significado da conexão entre a natureza do ser consciente e o ego, há a conquista dos sentidos.

3.49 Então [depois da conquista dos sentidos, o *yogin* alcança] a rapidez da mente, a independência dos sentidos e a conquista da natureza.

3.50 Somente para a pessoa que tem conhecimento da diferença entre a mente e a pura Consciência, há o estado de ser a base de todos os estados mentais e de ser a capacidade de conhecer em todos os conhecimentos.

3.51 Quando há a destruição da semente do sofrimento, devido até mesmo à renúncia daqueles (poderes), há *kaivalyam* (a liberação final).

3.52 Na ocorrência de um convite para uma alta posição, não haverá novamente apego nem encantamento devido à conexão [da alta posição a ser adquirida] com o indesejável.

3.53 Por causa da reflexão sobre um momento e sua sucessão, há o conhecimento que nasce da discriminação.

3.54 A diferença é em termos de espécie, sintoma ou localização. Por não haver separação entre os dois que são da mesma classe [a mente considerada eu e a pura Consciência que é o Eu], daquele [conhecimento da mente e da pura Consciência] advém o claro conhecimento.

3.55 O que faz atravessar [a ignorância e o sofrimento], que se refere a todos os objetos [e] à forma como os objetos são, sem exigir um processo de transformação, é o conhecimento que nasce da discriminação.

3.56 *Kaivalyam*, a liberação final, é quando há a pura identidade entre a mente e o Eu.

QUARTO CAPÍTULO
A LIBERAÇÃO

4

4.1 Os poderes podem advir do nascimento, de plantas, de *mantras*, de disciplinas e do *samādhi*.

4.2 Da maturidade do corpo e da mente [que foi adquirida], advém a transformação em outro nascimento.

4.3 A causa [de um novo nascimento] não produz transformações no corpo e na mente, mas através dela há a eliminação dos obstáculos, assim como um fazendeiro.

4.4 Somente devido ao pensamento-eu, os pensamentos são produzidos.

4.5 Enquanto existem diferentes movimentos [de pensamentos], existe somente uma mente produtora desses vários [pensamentos].

4.6 Aquela (a apreciação da mente única) nasce da meditação, é livre de depósito.

4.7 Para o *yogin*, não há ação obrigatória ou proibida. Para os outros, as ações são de três tipos.

4.8 Dessas [várias ações], advém a manifestação de tendências, somente de acordo com a frutificação delas.

4.9 Há uma continuidade ininterrupta de lembranças e impressões, apesar da separação por intervalos de condição social, local e época; porque as lembranças e as impressões têm natureza idêntica.

4.10 E para essas [tendências] não há início, pois o desejo é sempre existente.

4.11 Na não existência daqueles (a ignorância e o desejo, as ações, o prazer e a dor, a mente, o corpo e os objetos), aqueles (os *saṁskāras* ou tendências) não existem, pois estão atrelados uns aos outros através de sua causa (a ignorância), seu resultado (o prazer e a dor), sua base (a mente) e seu suporte (o corpo e os objetos).

4.12 Devido à diferença na distância entre as características, [fala-se sobre] passado e futuro que existem em sua própria natureza [que é o presente].

4.13 Eles (os três tempos) são manifestos e sutis e têm a natureza dos *guṇas* (as três qualidades básicas da natureza).

4.14 A natureza de um objeto é devida à unidade da transformação.

4.15 O objeto, sendo o mesmo, devido à diferença entre os pensamentos, há um caminho separado para os dois (o objeto e o pensamento sobre o objeto).

4.16 E um objeto não pode depender de um pensamento. Se assim fosse, como poderia haver um meio para conhecê-lo (o objeto)? Não haveria.

4.17 Um objeto é conhecido ou não conhecido de acordo com a capacidade da mente de condicioná-lo (o objeto).

4.18 Os pensamentos da mente são sempre conhecidos devido à imutabilidade de *Puruṣa*, que é seu senhor.

4.19 Aquela (a mente) não tem luz própria, pois é vista.

4.20 E, no mesmo momento, não há determinação de ambos (do objeto e do pensamento sobre o objeto).

4.21 Se [a mente] fosse vista por outra mente, haveria o retrocesso infinito de uma mente [vista] por outra mente e confusão em relação à memória.

4.22 A Consciência sendo imutável, quando [a mente] assume a forma de algo, há a evidência do pensar.

4.23 A mente, que é colorida por sujeito e objeto, tem tudo como seu objeto.

4.24 Aquela (mente) é também variada, com inúmeras tendências; [ela existe] para servir a outro, por ser uma construção em agrupamento.

4.25 Para quem vê a diferença [entre a mente e o Eu], há o desaparecimento do questionamento da natureza do sujeito.

4.26 Então, a mente está entregue à discriminação, de frente para a liberação.

4.27 Quando há buracos naquele (no conhecimento que leva à liberação), os pensamentos diferentes (contrários ao conhecimento) se devem às tendências.

4.28 Como foi falado sobre os sofrimentos, [é necessário] o abandono dessas [tendências].

4.29 Para aquele que possui conhecimento discriminativo claro [e] que é totalmente indiferente até mesmo ao pagamento de algo que lhe é devido, há *dharmameghaḥ samādhiḥ*.

4.30 Então há a cessação dos sofrimentos e do *karma*.

4.31 Então, para aquele para quem foi eliminada a impureza [que é a ignorância], o véu que tudo encobre, o que [ainda] deve ser conhecido é insignificante, pois o conhecimento [do real] é livre de limitação.

4.32 Disto advém o fim da ordem de transformação dos *guṇas*, que preencheram seu propósito.

4.33 A sequência que depende de momentos deve ser entendida [como tendo chegado ao fim] com o fim das transformações.

4.34 Quando não há mais propósito para a vida humana, os *guṇas* retornam à origem. [Isto é] a liberação. Ou [como também é conhecido]: o poder da consciência estabelecido em sua própria natureza.

BIBLIOGRAFIA

Eight Upanisads with the Commentary of Sankaracarya.
1972. Advaita Ashrama. Calcutá, Índia

The Brhadaranyaka upanisad.
1968. Sri Ramakrishna Math. Mylapore, Madras, Índia

Chandogya Upanishad with the commentary of Sankaracarya.
1992. Advaita Ashrama, Calcutá, Índia.

Kenopanisad Sankara-bhasya-sahita.
Gitapress, Gorakpur, Índia

Kathopanisad Sankara-bhasya-sahita.
Gitapress, Gorakpur, Índia

Mundakopanisad Sankara-bhasya-sahita.
Gitapress, Gorakpur, Índia

Mandukyopanisad Sankara-bhasya-sahita.
Gitapress, Gorakpur, Índia

Taittiriyopanisad Sankara-bhasya-sahita.
Gitapress, Gorakpur, Índia

Isavasyopanisad Sankara-bhasya-sahita.
Gitapress, Gorakpur, Índia

Srimad Bhagavad Gita Bhasya of Sri Sankaracarya.
1983. Ramakrishna Math, Madras, Índia

Jivan Mukti Viveka. Swami Vidyaranya.
2001. Advaita Ashrama. Calcutá, Índia

Patanjali Yoga Sutras. Translation and Commentary in the light of Vedanta Scripture.
2012. A. K. Aruna

Yoga Sutra of Patanjali with Commentary of Vyasa. Bangali Baba.
1996. Motilal Banarsidass Publishers, Índia

CONHEÇA ALGUNS DESTAQUES DE NOSSO CATÁLOGO

- Brené Brown: *A coragem de ser imperfeito – Como aceitar a própria vulnerabilidade, vencer a vergonha e ousar ser quem você é* (600 mil livros vendidos) e *Mais forte do que nunca*
- T. Harv Eker: *Os segredos da mente milionária* (2 milhões de livros vendidos)
- Dale Carnegie: *Como fazer amigos e influenciar pessoas* (16 milhões de livros vendidos) e *Como evitar preocupações e começar a viver* (6 milhões de livros vendidos)
- Greg McKeown: *Essencialismo – A disciplinada busca por menos* (400 mil livros vendidos) e *Sem esforço – Torne mais fácil o que é mais importante*
- Haemin Sunim: *As coisas que você só vê quando desacelera* (450 mil livros vendidos) e *Amor pelas coisas imperfeitas*
- Ana Claudia Quintana Arantes: *A morte é um dia que vale a pena viver* (400 mil livros vendidos) e *Pra vida toda valer a pena viver*
- Ichiro Kishimi e Fumitake Koga: *A coragem de não agradar – Como a filosofia pode ajudar você a se libertar da opinião dos outros, superar suas limitações e se tornar a pessoa que deseja* (200 mil livros vendidos)
- Simon Sinek: *Comece pelo porquê* (200 mil livros vendidos) e *O jogo infinito*
- Robert B. Cialdini: *As armas da persuasão* (350 mil livros vendidos) e *Pré-suasão – A influência começa antes mesmo da primeira palavra*
- Eckhart Tolle: *O poder do agora* (1,2 milhão de livros vendidos) e *Um novo mundo* (240 mil livros vendidos)
- Edith Eva Eger: *A bailarina de Auschwitz* (600 mil livros vendidos)
- Cristina Núñez Pereira e Rafael R. Valcárcel: *Emocionário – Um guia prático e lúdico para lidar com as emoções* (de 4 a 11 anos) (800 mil livros vendidos)

sextante.com.br